人生悟語

卷三

獨語天涯

編　　輯　陳小歡
實習編輯　陳泳淇（香港城市大學中文及歷史學系四年級）
書籍設計　蕭慧敏　Création 城大創意製作

「人生悟語」四字由香港著名書法家何幼惠先生題字。何先生為中國書協香港分會執行委員及大方書畫會會長，精於小楷，筆法雅淳秀逸。謹此致謝。

國際統一書號：978-962-937-437-2

出版
香港城市大學出版社
香港九龍達之路
香港城市大學
網址：www.cityu.edu.hk/upress
電郵：upress@cityu.edu.hk

Contemplating Life: Liu Zaifu's Meditation in a New Genre
Volume III: Soliloquy in Diaspora
(in traditional Chinese characters)

ISBN: 978-962-937-437-2

Published by
City University of Hong Kong Press
Tat Chee Avenue
Kowloon, Hong Kong
Website: www.cityu.edu.hk/upress
E-mail: upress@cityu.edu.hk

Printed in Hong Kong

目錄

序言（劉劍梅） vii

獨語天涯——一千零一夜不連貫的思索

獨語自序01－32 2

果園裏的遊思33－77 15

《山海經》的領悟78－97 32

兩個自我關於故鄉的對話98－142 39

「人生哲學」漫筆143－151 53

「我是誰」的叩問152－182 56

童心説183－248 70

寫給思想者與童心作家的致敬語249－281 97

寫給二十世紀的咒語282－322 113

寫給時間與友人的備忘錄 323－404 127
人性論 405－493 148
死亡雜感 494－562 173
思想者浮雕 563－651 193
書齋話題 652－756 220
天涯寄語 757－833 249

序言——「新文體寫作」的意義

劉劍梅

我父親（劉再復）非常勤奮，數十年如一日地堅持「黎明即起」，每天早晨五點便開始寫作。從五點到九點，這是他的黃金時段，創造時刻。數十年的「一以貫之」，使他著作等身，僅中文書籍就出版了一百二十五種（五十多種原著，七十多種選本、增訂本、再版本）。我從讀北大開始，就喜歡他的片斷性思想札記，那時札記發表得並不多，但因我是「近水樓台」，所以還是讀了一些，比如《雨絲集》。出國之後，他思如泉湧，一發而不可收，竟然寫下了二千多段悟語（「獨語天涯」八百多段，「面壁沉思錄」四百多段，「《紅樓夢》悟語」六百多段，「《西遊記》三百悟」三百段，「雙典百感」一百段，各類人生悟語近一百段）。這些悟語，精粹凝煉，語短意長，每一段都有一個文眼，即思想之核。二千多則，可以視為「悟語庫」了。

我稱父親的悟語寫作為「新文體寫作」。所謂新文體，乃是指它不同於當下流行的小品、雜文、散文詩，也不同於隨想錄等文體。雜文較長，有思想、有敘事、有議論，而悟語則只有思想而沒有敘事與感慨。與散文詩相比，它又沒有抒情與節奏。與隨想錄相比，它顯得更為明心見性，完全沒有思辨過程，也可以說沒有邏輯過程。這種文體很適合於生活節奏快速的現代社會。我相信，那些忙碌又喜歡閱讀的智者與識者，肯定最歡迎這種文體，他們在工作的空隙中，在旅途的勞頓中，都可以選擇一些段落加以欣賞和思索，享受其中一些對世界、人類、歷史的詩意認知，達到事半功倍的效果。

我稱這些悟語為「新文體」是否恰當？可以討論。說它是「新」，乃是相對於流行的文體即論文、散文、雜文等，但如果放眼數千年的文學藝術史，我們還是可以發現，這種「思想片斷」的寫作曾經出現過。例如古羅馬著名的帝王哲學家馬可·奧理略（Marcus Aurelius）所寫的《沉思錄》（中文版由何懷宏先生所譯），便是他在軍旅勞頓中的哲學感悟，一段一段都是精彩的悟語。此書影響巨大，千年不衰，早已成為西方思想史上公認的名著。我覺得他寫的正是「悟語」。每一則都有思想，但沒有思辨過程。尼采（Friedrich Nietzsche）和羅蘭·巴特（Roland Barthes）也喜歡採用這種片斷式寫作來表述他們靈動的思想。魯迅的《熱風》，其文字形式正是尼采式的悟語。諾貝爾文學獎評委霍拉斯·恩格道爾（Horace Engdahl）在他的著作《風格與幸福》（中文版由陳邁平先生所譯）中，有一章題為「有關碎片寫作的筆記」，專門論述「悟語」這一革命性文體，談到歷代西方文學家各式各樣的「碎片寫作」。他認為「碎片寫作」是對立於體系寫作的一種寫作。它不求邏輯建構，而是像精靈一樣四處遊蕩，這些表面無序的不連續的文字，「是在無數個體的中心生出來的」。恩格道爾有一段精彩的定義：「碎片寫作的決定可以讓不同思想區域之間的自由移動成為可能。諾瓦利斯（Novalis）談到過『精神的旅行藝術』，在他的筆記裏這種藝術採用永遠處在回到一切涉及精神的事物的返鄉形式。這是一部飛翔着的百科全書。」[1]

儘管悟語寫作、片斷寫作已有前例，但我父親能寫出這麼多的感悟之語，實在不容易。況且他又有新的創造，例如評述中國四大名著的悟語，便有許多新的眼光和新的思路，無論是對《紅樓夢》、《西遊記》的禮讚，還是對《水滸傳》、《三國演義》的文化批判，都可謂入木三分，不同一般。文學評論、文化批判也可通過悟語進行，而且可以超越文本和擊中要害，這的確是一種有意思的實驗。可以說，父親對碎片寫作的思維空間進行了先鋒性的拓展。他認為，在人文科學中，文學只代表廣度，歷史呈現深度，哲學則可代表高度，而碎片寫作也可以在此三維度上加以發展。從廣度上說，以往的碎片寫作多半着眼於人生遭際中的感受，倫理色彩較濃。從孔子的《論語》到奧理略的《沉思錄》以至尼采，皆是如此。但他加以擴展，把碎片寫作運用到文學批評、文化批評、國民性批評和人類性批評。文學批評如對《紅樓夢》中的人物分析；文化批評如〈西遊記三百悟〉講「禪而不相」、「禪而不

1 〔瑞典〕霍拉斯·恩格道爾著，萬之譯：《風格與幸福》（上海：復旦大學出版社，2017），頁76–77。

宗」、「禪而不佛」等；國民性批評，如〈西遊記三百悟〉中的第二百九十八則和二百九十九則尖銳地批判了中國的國民性問題；人類性批評，如〈童心說〉涉及的是普遍的人性問題。從深度上說，悟語的深度來自他對歷史的認知與對世界的認知。歷史有表層結構，也有深層結構。深度主要是呈現於對深層歷史的認知和深層文學的認知。如〈雙典百感〉的第五十六則，揭露《三國演義》維護正統的旗號，實際上漢王朝已日薄西山，奄奄一息，美化劉備與抹黑曹操全是權術（騙人的把戲）。還有〈《紅樓夢》悟語二百則〉的第二百零五則，寫的並非歷史，但把文學的深度揭示出來了。至於他如何把碎片寫作推向哲學，看看〈紅樓哲學筆記三百則〉就明白了，其中每段都有一個小標題——無相哲學、自然的人化、情壓抑而生大夢、叩問人生究竟、色透空也透、立人之道、意象心學、棄表存深、通脫主體論、隨心哲學等——每一題都有哲學感悟，每一段均有所妙悟。在中國寫作史上，如此大規模地通過片斷寫作展示密集豐富的哲學思想，以前還沒有見過。

父親晚年近莊子和禪宗，他對自己在海外近三十年漂泊生活的領悟，以及對中國四大名著的重新闡釋，都採取「片斷悟語」的寫作形式，其實如同一段段「禪悟」，以心讀心，與古典名著裏的一個個靈魂對話，也同時與自己的多重主體對話，捕捉思想的精彩瞬間。他曾經這樣描述自己的悟語寫作：

> 在我心目中，「悟語」類似「隨想錄」與「散文詩」，有些「悟語」其實就是散文詩和隨想錄，但多數「悟語」還是不同於這兩者。隨想錄寫的是隨感，「悟語」寫的是悟感。所以每則悟語，一定會有所悟，有所「明心見性」之「覺」。隨想錄更接近《傳習錄》（王陽明），悟語更近《六祖壇經》（慧能）。與散文詩相比，「悟語」並不刻意追求文采和內在情韻，只追求思想見識，但某種情思較濃的「悟語」也有些文采，只是必須嚴格地掌握分寸，不可「以文勝質」，只剩下漂亮的空殼。[2]

我個人認為，父親的這種「新文體寫作」，跟他自一九八九年選擇海外漂流的「第二人生」有緊密的關係。這第二人生給他的最大收穫，就是獲得了內心的大自由，身心均得大自在。這種不再被政治權力、國家界限、世俗利益約束的內心大自由，不可能再用學院派的重體系、重邏輯、重理論的文學批評語言來表述，而必須找到實驗性更強、自由度更大的文體來承載他自由的心靈書寫，「悟語」或「碎片寫作」這種文體，給了他一種解放的形式，便於闡發一種屬於他自己的內心真實，而且他在瞬間感悟的真實都是他自身的多重個體的折射，於是，這種「新文體寫作」成了呈現他選擇的徹底的「心性本體論」的載體，如同他所說的：「佛就是心，心就是佛。佛不在寺廟裏，而在人的心靈裏。講的是徹底的心性本體論。慧能

2 劉再復：《天涯悟語》（北京：三聯書店，2013），頁404–405。

的《六祖壇經》說『自性迷，即是眾生；自性覺，即是佛』，所謂『覺』，就是心靈在瞬間抵達『真理』的某一境界，在心中與佛相逢，並與佛同一、合一。」[3]這種「新文體」寫作——碎片寫作、悟語寫作，是對個體「瞬間領悟」、「瞬間覺悟」的記錄，是飛翔的思緒，是流動的靈光，是精神的自由旅行。

卷一至卷四的「劉再復新文體沉思錄」有兩項基本內容。第一部分體現了父親在海外漂泊的歲月裏不停地尋找「家園」及尋找精神皈依的旅程。從前的地理意義上的故鄉消失了，他需要重新定義自己心目中的家園，於是他在碎片寫作中，一邊叩問歷史和家國，一邊叩問「我是誰」；一隻眼睛看世界、看歷史，另一隻眼睛看自我——看被粗暴的時代分割成碎片的自我；他一邊讀生命，另一邊讀死亡；他一邊讀東方，另一邊讀西方；他一方面重新找尋中西方文化相通的精神家園，另一方面又重新組合起一個多重的自我，有矛盾掙扎的自我，有回歸童心的自我，也有不斷超越的自我。這套新文體寫作的第二部分內容是重讀文學經典，也就是重讀中國四大古典名著：《紅樓夢》、《西遊記》、《三國演義》、《水滸傳》。用「片斷悟語書寫」闡釋中國四大古典名著的學者，恐怕父親是第一位，這種讀法既是一種文化批評，又是一種帶有啟迪性的文體創造。無論是討論小說人物，還是討論小說主題、文化內涵，父親其實最重視的還是這些小說塑造的「心靈世界」，以及這一心靈世

3 劉再復：《什麼是人生——關於人生倫理的十堂課》（香港：三聯書店，2017），頁106。

界對中國國民性的深刻影響。我在閱讀父親的這四卷「新文體沉思錄」時，認為父親用「片斷寫作」打破了傳統文學形式的界限，放下散文詩、文學評論、哲學思緒等形式阻隔，融合不同學科領域的特長和內涵，使得不同的表述形式和感悟處於一種自由的不規則、不系統的狀態，讓他的語言在稠密的思想中，撲扇着翅膀在空中滑翔，傳達了他聞的道、悟的道，傳達着普世哲學，也承載着中國當下幾乎喪失的人文精神。

帝王哲學家馬可・奧理略所寫的《沉思錄》已過去近兩千年了，他大約沒想到，今日的世界，人類的生活更為緊張，節奏更為快速，人們更需要這種言簡意繁的文字。我父親的這一新文體寫作，居然在不經意間與現在的微博、微信寫作有了一些外在的聯繫，就像他寫的：「老子所講的『大音希聲』，乃是對語言的終極性叩問。真正卓越的聲音是謙卑的、低調的，甚至是無言的。中國的詩句『此時無聲勝有聲』，乃是真理。最美的音樂往往是在兩個音符之間的過渡，此時沉靜的瞬間可以聽到萬籟的共鳴。」[4] 雖然父親的新文體寫作彷彿是「微言」，可是它讓我們以微見大，感悟生命的終極意義。它既是感性的，又是理性的；既是文學評論，又是文學創作；既是哲學的，又是文學的。它是對概念的放逐，是一種解放了的語言和文學實踐，是一種「心生命」。

4 劉再復：《天涯悟語》（北京：三聯書店，2013），頁352。

香港城市大學出版社的社長朱國斌先生、副社長陳家揚先生，慧眼獨具，深知悟語的價值，支持我父親的寫作試驗，這不僅鼓勵了父親，也鼓勵了我。我一直認為，文章與書籍是人寫的，人性極為豐富，文章也可有千種萬種，不必拘於幾種樣式。碎片式的寫作，悟語的嘗試，肯定也是一種路子。香港城市大學出版社的決定與支持，使我的思想更為開放，視野更加拓展，為此，我和父親一樣，都心存感激。

劉劍梅

二〇一八年寫於香港清水灣

獨語天涯

一千零一夜不連貫的思索

獨語自序

01

我喜歡何其芳年輕時的詩文，尤其是他的《畫夢錄》，出國之後，我常望着高遠的天空和低回的雲彩，想起其中的名篇「獨語」和它的畫夢般的句子：昏黃的燈下，放在你面前的是一本傑出的書，你將聽見各個人物的獨語。温柔的獨語，悲哀的獨語，或者狂暴的獨語。每一個靈魂是一個世界，沒有窗戶，而可愛的靈魂都是倔強的獨語者。借用老詩人「獨語」的概念和它的如夢如畫的詩意，我穿過歷史耀目的長廊，又一次展開心靈之旅。

02

漂流之夜。沒有圓月，沒有星斗，於幽暗中我什麼也看不見。然而，因為獨語，我感到肉眼看不見的兄弟姐妹就在身邊，千百種草葉與花卉就在身邊，遠古與今天的思想者就在身邊。黑暗企圖淹沒一切，但我卻聽到暗影深處和我共鳴的輕歌與微語。於是，我在虛無中感到實有，在烏黑中看到薄明與亮色。

03

漂泊者用雙腳生活，更是用雙眼生活。他用一對永遠好奇的童孩眼睛到處尋找美和光明。哲人問：小溪流向江河，江河流向大海，大海又流向何方？我回答：大海流向漂泊者的眼裏。歌德在《浮士德》中說：人生下來，就是為了觀看。真的，人生下來就是為了觀賞大千世界與人性世界的無窮景色。所以，在我的遠遊歲月與獨語天涯中，一直跳動着喬伊斯的這句話：漂流就是我的美學。

04

著寫過《論英雄和英雄崇拜》的英國思想家托馬斯·卡萊爾說：未曾哭過長夜的人，不足以語人生。日本文學批評家鶴見祐輔在他的《拜倫傳》序言中引述過這句話。

我曾經在最愛我的祖母逝世時哭過長夜，曾經在故鄉的大森林被砍成碎片時哭過長夜，曾經在看到慈祥而善良的老師像牲畜一樣被趕進牛棚時哭過長夜，曾經在殷紅的鮮血漂向大街時哭過長夜，曾經在被拋入異邦之後面對無底的時間深淵哭過長夜，我還經歷了一輪又一輪的煉獄，至今胸中還殘留着許多煉獄的灰燼。我應當擁有獨語天涯的資格了。

05

像那些在荒漠沙野中身陷孤獨的求道者，我常對自己提出的問題是：「我還能做什麼？」尋找答案時，想起了尼采的話：真理開始於兩個人共同擁有的那一刻。可是我只有一個人。然而，我立即想到：主體多重，我不僅是一個現在的自己，而且還有一個過去的自己和未來的自己。分明是三個人。我可以和他們對話，可以和他們共同擁有真理起程的時刻。

06

在大浪滔滔的既往與未來的合流之中／在永恆與現在之中／我總看到一個「我」像奇跡似的／孤苦伶仃四下巡行。

——這是泰戈爾的詩句。

我看到的自己也是孤單的身影，踽踽獨行在宏觀的歷史大道與微觀的現實羊腸小路上，獨語在過去、現在、未來三個時間維度上。雖是無依無傍，無着無落，卻與滔滔大浪共赴生命之旅，在莽莽蒼蒼的大宇宙中，與神秘的永恆之聲遙遙呼應。於是，儘管獨行獨語，卻擁有四面八方，古往今來，身內身外。

07

心靈之窗敞開着，面對着共存的一切：太陽與墓地，存在與時間，洪荒與文明，星斗與小草，美女與野獸，天堂與地獄，嬰兒宇宙與孩提王國，羅馬古戰場與阿芙樂爾號炮艦，柏拉圖的理想國與奧斯維辛集中營，荷馬的七弦琴和喬伊斯的意識流，中國的長城與博爾赫斯的迷宮。在思想的漫遊中，我時而與唐吉訶德相逢，時而與哈姆雷特相逢，時而與安東尼、克麗奧佩脫拉相逢，時而與賈寶玉、林黛玉相逢，時而與奧賽羅、尚萬強相逢，時而與達吉雅娜、洛麗塔相逢。衝鋒、猶豫、迷惘、憂傷、強悍、懦弱，不同顏色的獨語，我都能傾聽，而對於我的獨白，他們難道就只有沉默嗎？

08

丹麥哲學家、存在主義先驅克爾凱郭爾在（《非此即彼》）書中寫到：「你知道我很喜歡自言自語。我發現，在我的相識中間，最有意思的就是我自己。」我相信這位北歐大哲人的話，因為他擁有自己的語言，那是他存在的第一明證。可是，二十年前，我絕不敢承認這句話，因為那時候我丟失了自己的語言。喪失個體經驗語言，只會說群體和集團的語言，這不是真的人，而是一隻鸚鵡，一個木偶，一副面具，一堆稻草，一顆螺絲釘，一台複印機，一條老黃牛，甚至是一隻蜷縮在牆角時而咆哮時而呻吟的貓狗。

09

幾年前的那個夏天，烈日幾乎把我的能量蒸發盡了。在疲憊中，我覺得自己的身上什麼也沒有剩下。對着天盡頭那灰濛濛的落日，我突然產生一種「驚覺」，這也許就叫做「頓悟」。我想到，頭一輪的生命終結了。過去，我曾經向故國索取過，故國也曾給予過，而我也努力償還，以致最後為了故國的孩子站在烈日的曝曬下呼喊。我能給予的都給予了。我不再欠債。我已從沉重的債務中解脱。這是生命的大解脱。一陣大輕鬆如海風襲來。輕鬆中我悟到：此後我還會有思念與牽掛，然而，我已還原為我自己，我的生命內核，將從此只放射個人真實而自由的聲音。

10

驚覺之後，我在鏡子前看到的自己是完整的，不是碎片，也沒有裝飾。這是生命的原版。母親賦予的生命原版，不再被意識形態所剪裁、所截肢、所染污的生命原版。美極了，葳蕤生輝的生命原版。這是孩提時代的心和手，這是自由歌哭的咽喉，這是叢林般的還帶着嫩葉清香的頭髮，這是親吻過大曠野並播放着泥土潮味的嘴唇，這是能看穿皇帝新衣的眼睛，這是瞳仁，閃閃亮亮地正在映射每日常新的太陽。

我要在生命的原版上寫下屬於自己的文字。我仁厚的天父與地母，我愛你，我要獻給你最美麗的禮物：心靈的孤本，生命的原版，和天涯的獨語。

11

拒絕合唱。埋頭在山西高原上寫了《厚土》、《舊址》、《無風之樹》的李銳，突然抬起頭來說：拒絕合唱！這是一個寫作者在黃土高坡上的獨語，然而，它該也是，該也是一代驚覺者的獨立宣言。我要在宣言書上簽字，我要在簽字後發出更響亮的生命的歌哭，我要獨立咀嚼天地的精英然後獨自吐出我的蠶絲、我的獨唱和可能的絕唱。合唱已主宰過我的青年時代，我不能在把整個人生送到合唱裏，我已看清合唱的空疏與空洞，我已給合唱的指揮員發出拒絕的通知。

12

沒有拒絕，便沒有生活。沒有良知拒絕，不可能有良知關懷。而對黑暗與不公平，左拉發出的聲音是：「我抗議！」；冰心發出的聲音是：「我請求！」請求是妥協性抗議，也不容易。我無法繼續面向龐大的客體，但我可以要求主體發出聲音：「我拒絕！」至少必須拒絕謊言與妄言。失去拒絕能力，就意味着把自己交給撒謊的世界。

13 此刻，康德從他的林間小道散步到我的心間小道。依依稀稀，我聽到了他的獨語：「人之可貴，是他只遵從自己所發出的法則。這些法則不是他人提供的，而是自己生產出來的。」這是康德對我的第一百次提醒。不錯，我的主體黑暗主體懦弱主體混亂主體匱乏，都是因為我太崇尚他人提供的原則，遵從的結果只有一個：只能說他人的話，無法履行內心的絕對命令，包括天真天籟的命令。於是，正如天空失去星辰，我失去了地上的道德律。

14 窗外是穆穆的秋山，山中是娓娓的秋湖，窗內是雪白的書桌，桌上是素潔的稿子。沒有人干預我、騷擾我。太陽只給我溫暖與光明，沒有叫嚷；思想大師與文學大師們只給我智慧、思想和美，沒有喧囂。偉大的存在，無須自售。活着真好，活着可以和太陽、山川及人類的偉大靈魂對話。緊緊抓住活着的一剎那，一片刻，一瞬間。死了之後，太陽對於我沒有意義，大師的精深與精彩也不再屬於我。

15 層巒起伏的遠山，在繚繞的薄霧中屹立。夕陽還在，黑夜尚未完成它的大一統。我又沉浸於寂靜中。我不僅看到寂靜，而且聽見了寂靜。易卜生在《當我們這些死者蘇醒的時候》一劇中，讓一個人物輕輕地問另一個人物：「瑪亞，你聽見寂靜了嗎？」如果這是問我，我要回答：聽見了，我聽見了群山孤嶺的寂靜，聽見了星河銀漢的寂靜，聽見了高原上大森林顫動的寂靜和雲天中兀鷹翱翔的寂靜，聽見太陽與小草在相依相託中愛戀的寂靜。寂靜不是死滅，寂靜是孕育，死亡是轟動，孕育是沉默。

16 不僅是易卜生聽到了寂靜。所有天才的詩人與作家都能聽到寂靜。他們具有第二視力，也具有第二聽力。這種聽力是偉大造物主賜予他們的內感覺。貝多芬耳朵聾了的時候卻創造了人間最美的音樂，他顯然聽見了大寂靜中的大韻律。第二聽覺使大藝術家們從「無」中聽到「有」，從虛無與沉默中聽到潛在的大音，這是萬物萬有從「無」中遠遠走來的足音，這是正在孕育、正在誕生的足音。不論是從對於母親腹中走來的孩子還是從宇宙深處走來的星光，他們都能聽見其天樂般的情韻。唯有這些無聲中的有聲，具有永恆之美。

17 薇拉·妃格念爾，我心目中最高貴、最美麗的俄羅斯女性。你出身貴族家庭，才貌非凡，本可享受人世奢華，卻偏偏同情窮人，投身革命坐牢二十年。你在自傳《俄羅斯的暗夜》中說：「孤獨與寧靜使人心神專注，更能傾聽過去的訴說。」人類精神寶庫中最豐富的部分，不是今天的訴說，而是過去的訴說，是從蘇格拉底、荷馬開始的偉大死者們的訴說，這些精神巨人的訴說鐫刻在書本上。書本沒有聲響。書海是一片大寂靜。

18

此刻，我聽到了「過去的聲音」，聽到了柏拉圖與阿里士多德的訴說；聽到了康德與杜斯托也夫斯基的訴說；聽到了喬伊斯的《尤里西斯》和普魯斯特的《追憶逝水年華》。他們的訴說是那樣冗長而深奧，我常常站在他們的門外。這回，孤獨與寧靜把我帶進門裏，我終於領略了他們的訴說。《尤里西斯》的門坎，連福克納都覺得難以踏進，但他踏進了。他說：「看喬伊斯的《尤里西斯》，應當像識字不多的浸禮會傳教士看《舊約》一樣：要心懷一片至誠。」孤獨、寧靜、真誠，這三者把我的心扉打開了，過去一切最深邃的獨白與對語，汩汩地流入我的血脈，多麼美多麼迷人的過去的訴說啊，可惜我傾聽得太晚了。

19

妃格念爾，當沙皇的王冠落地，當你所獻身的目標像東方日出，當人們都沉醉於革命的狂歡節之中，你還喜歡孤獨與寧靜嗎？你會為狂歡節中的孤獨者與獨語者辯護和請命嗎？記得帕斯捷爾納克在《齊瓦哥醫生》裏對着狂歡的人群說：個人的生活在這裏停止了。真的停止了嗎？應當停止嗎？革命註定要抹掉個人生活與獨自行吟的權利嗎？能回答我嗎？詩一樣美麗的革命家。

20

夜半時分，我推開了窗戶。窗外除了遠空中的幾顆疏星閃爍之外，全是無。無聲、無息、無歌、無曲，千山無語，萬籟無音，連長堤那邊的公路上也沒有喧囂，沒有笛鳴。寧靜壓倒一切。此刻，我意識到大寂靜的濃度。濃得像蜜，像酒。我聞到蜜和酒清洌的香味，並渴望吮啜。於是，我朝向空中伸出雙手，然後深深呼吸。我的思想除了需要鹽的泡浸之外，還需要蜜和酒的滋潤。偉大的、遼闊的北美大地，對於別人來説，也許意味着黃金，意味着白銀，而對於我則意味着蜜和酒。

21

天底下有誰會像我這樣迷戀蜜和酒？天底下又有誰在痛飲一片虛無的汁液後又如此迷戀自己的獨存獨在獨思獨想獨歌獨訴獨言獨語？如果不是被群體的喧囂所愚弄，如果不是當夠了被偉人與群眾操縱的布袋木偶，如果不是聽夠了以階級的名義革命的名義國族的名義發出的慷慨陳詞，如果不是看夠了用一千副面具表演的歷史悲劇與鬧劇，如果不是連自己也説煩説膩了從一個模式裏印出來的話語，我怎能從睡夢中醒來，怎能知道夜半的蜜夜半的酒夜半的大寂靜如此清醇，一滴一滴都會激發我生命的自由創造與自由運動。

22

終於遠離噪音。我的故家就在深山老林中。小時候，我害怕猛獸，但喜歡傾聽山谷裏的虎吟，那一聲聲雄偉，啟蒙了我的孩提時代的勇敢。然而，我始終討厭蚊子的嗡嗡，這種噪音真會傷害人的靈魂。我少年時的浮躁，顯然是蚊子激發的。叔本華認為思想者最好是聾子。他厭惡噪音，以至埋怨造物主造出人的耳朵必須始終豎立着、始終開放着是個極大的缺陷。如果耳朵可以自由開合，隨時可以關閉，生活一定會美滿得多。

23

都說上帝擔心人們沉醉於寂靜安寧的生活，會不思進取，才製造出撒旦來激活人的熱情。可是，我明明看到太陽是孤獨的，月亮也是孤獨的，它們無須魔鬼的刺激也天天放射光明。上帝何嘗不是孤獨的。只有魔鬼才喜歡吵吵鬧鬧。

24

總想構築一個屬於自己的精神故鄉，但是我的故鄉與周作人的那種「自己的園地」不同。我不會築起一道與世隔絕的籬笆，然後躲在籬笆裏談龍說虎，飲茶自醉，顧影自憐。我只是在家園裏獨自沉思，而思索的根鬚卻伸向大地的底層與心臟，每一根鬚都連着時代的大歡樂與大苦悶，也連着鄉村、城市、大道、監獄和廣場。我的園地封閉着又敞開着，孤立着又漂泊着，躲藏着又屹立着。這不是風雪可以吹倒的茅棚草舍。

25

世界很大，人群熙熙攘攘，但無處可以傾訴。正如四周都是海，但沒有水喝。處於人群中的思想者就是處於滄海中的孤島。思想者的人生狀態註定是孤島狀態，能在孤島上翹首相望，作歌相和，便是幸福。

26

我喜歡獨自耕耘，遠離人群的目光。

美國作家愛默生說：「我愛人類，但不愛人群。」我的心與愛默生相通。人類整體是真實的，生命個體也是真實的，但一團一團人群的真實卻值得懷疑。人群是什麼？人群就是「戲劇的看客」（魯迅語），天才的刺客，人血饅頭的食客，寡婦門前擠眉弄眼的論客；就是今天需要你時把你捧為偶像的喧囂，明天不需要你時把你踩在腳下的騷動。

27

人群不認識梵高。此時他的畫價創下世界記錄，可是生前只賣出一幅畫：《紅色的葡萄園》。售出的場合是布魯塞爾的「二十人畫展」上。他創作了八百幅油畫和七百件素描，可是個人畫展是他死後兩年才舉辦的。

人群把活着的梵高視為瘋子，把死後的梵高視為神明。真的梵高活着時只能孤獨地面對天空與畫布傾吐，死後只能在向日葵綽約的花影下沉默。

28

陽光如火的中午，一群黑鴉自遠處飛來，遮住了天空與太陽，然後飛進梵高的眼裏。這之後，他完成了最後一幅畫：《麥田上空的烏鴉》。第二天，他仰望無邊的蒼穹，用手槍頂住自己的太陽穴，摳動扳機，死在金黃色的麥田裏，離開了蒼白、冷漠、日益浮華的人間。

和友人。給天才送行的只有烈日、雲影和麥地上輕拂的風，之後還有他的七個親人和友人。梵高的死與群眾無關，正如他的存在及不朽不滅的圖畫，與大眾無關。

29 真理活在事物深處。它不是鬧轟轟的集體眼睛可發現得了的。它需要個人的眼睛去體察、去發覺，所以真理常常在少數人手中。群眾雖然佔有多數，但未必佔有真理。雨果曾經大聲地叫道：「站在多數一邊隨大流？寧肯違背良心受人操縱？決不！」[1] 這是天才的拒絕。知識分子拒絕大眾比拒絕權力還難，所以許多知識分子都是民粹主義者。

30 生活在人群裏而要求得安全，就必須自己也是矮人。或者屈膝跪下，顯得比矮人還低；或者低下頭去，眼睛只看自己的腳趾，這才平安。身上高於矮人的部分都是禍根，如果高出整整一個頭顱，脖子可能會被砍斷。然而，必須有敢於不怕削去頭顱的大漢在社會中站立着，社會才有活力和境界。有人批評過日本，說它是一個沒有柏拉圖和阿里士多德的希臘，但是，近代的日本出現了福澤渝吉、伊藤博文、川端康成、三島由紀夫等，日本人可以反駁批評了嗎？

1 引自〔法〕莫洛阿，沈寶基譯：《雨果傳》（長沙：湖南文藝出版社，1992），頁 437。

31

普希金的詩吟：我的無法收買的聲音，是俄羅斯人民的回聲。普希金愛俄羅斯人民，但不愛一團一團的人群，也不奢望人群會聽懂他的聲音，於是，他又說：

在冷漠的人群面前／我說着／一種自由的真理的語言。／但是對凡庸愚昧的人群來說／可貴的心聲卻可笑到極點。

人群的評語並不重要，重要的是內心自由而真實的聲音。

如果死亡不能把我從宇宙中趕走，那麼，唯一的原因就是因為我留下了未曾背叛自己的真實的個人的聲音，和統一的聲音不同的聲音，從強大的集體聲浪中跳出並存活下來的聲音。

32

十幾年前，我寫作《愛因斯坦禮讚》時，筆下情思洶湧，彷彿有神靈在搖撼我的身體與靈魂。愛因斯坦就是神靈的使者，他到地球上告訴人類許多真理，還告訴我一個真理：人，只是宇宙中的一粒塵埃。人到世上，是塵埃的偶然落定。生命終結，即塵埃飄走。愛因斯坦給我一種眼光：從宇宙深處看人的極境眼光，從無窮遠方觀察自身的莊子式的「齊物」眼光。這是偉大的人文相對論。這種眼光使我知道自己在宇宙中的位置，使我心志昂揚但又擺脫人間自大的瘋人院。

果園裏的遊思

33

「耕耘自己的果園吧！」伏爾泰如是說。生命的萌動、發展、成熟與無盡之美全在耕耘之中。我耕耘，所以我在；我耕耘，所以我與田野、鄉野、大地如此密切。大地之子本應耕耘好自己的果園，把握住時序的春夏秋冬和恰如燈火一閃、花葉一季、紅樓一夢的人生。荒廢，荒廢，荒廢的時間太久了，被眼花繚亂的概念剝奪的時間太多了。荒廢的時間沒有屍骨，死了的歲月看不見。快從荒廢中蘇醒，快從時間的殘骸中張開眼睛。我對自己如是說。

伏爾泰小說《天真漢》的結束語正是耕耘的呼喚，他告訴人們，辛勤的耕耘可以使人類免除三大災難：寂寞、惡習與貧窮。

34

果園早就有了，早在亞當與夏娃背着上帝相戀的時代就有了。智慧果就在那裏生長。果園先於人類社會而存在。然而，今天果園正在消失，正在被人類創造的物質文明所包圍。市場吞沒一切，果園成了孤島。因為到處是慾望的汪洋，作為孤島的果園便顯示出它的稀有。果園，不僅是人類最初的出發點，而且是人類精神最後的堡壘。近處與遠方的思想兄弟，請守住你最後的故鄉。

35

資源就在附近。亨利·大衛·梭羅（Henry David Thoreau）在《湖濱散記》中這樣提示我。不錯，資源就在附近，就在案頭上，就在書架上，就在窗外的草圃，就在林間的小徑，就在頭頂的天空，就在友人與孩子的額角，甚至就在你自己的身上。梭羅，你說得多好啊：一個堅強而勇敢的人，無論在天堂或在地獄，都能照管好自己。真的，到處都有生活，到處都可以生活。

陶淵明就在他的屋前屋後找到無盡的詩意，面對悠悠南山，他唱出了千載不滅的歌。菜畦隴畝，苗圃田舍，僅僅是為了稻粱之謀嗎？它不也是一代歌王的第一泉流嗎？於日常生活中發現金子寶藏，於最平凡處發現永恆之美，於茅棚溝渠中流出神奇的情思。陶淵明過着多麼簡單的生活，然而，簡單的生活不簡單。

36

俄國的天才導演塔可夫斯基是另一位卓越的耕耘者。他的每一部創作都是電影經典。他在自傳《雕刻時光》中這樣說明他對藝術的理解：「藝術的目的便是為了給人的死亡做準備，耕犁他的性靈，使其有能力去惡向善。」藝術的確可以征服死亡而比人的生命更加長久，然而，藝術的成功不是註定的，它必須耕犁，必須「耕犁人的性靈」。誰能想到這一點呢？人的性靈也是一片果園，一片田畝，一片需要拓荒、需要耕鋤的大地。這裏也需要擺脱貧瘠、乾旱與枯焦。

37 美國作家房龍（van Loon）在他的名著《人類的故事》（*The Story of Mankind*）中，描述了培根、達爾文、哥白尼、伽利略和許多先知先覺者的悲劇，然後說：「該做的事情，總歸是有人會把它完成的，儘管那些無知的芸芸眾生曾經詆毀那些洞察先機的偉人為不切實際的空想主義者，但到頭來最後享受這些發現與發明的利益的，還是那些曾經信口雌黃的芸芸眾生。」許多先驅者的悲劇總是他們先是為世界發現真理，然後被世界所詆毀，最後被世界所利用。先驅者的卓越品格就在於，明知人生是如此一幕無可逃遁的悲劇，但還是要去做該做的事。

38 經歷了一次瀕臨死亡的體驗之後，我對世界產生了特別的依戀。這不是畏死的貪生，而是醒悟到浩茫宇宙中唯一的人間太精彩了，而我卻有那麼多如歌如畫的山水未曾登臨，那麼多開滿杜鵑花的土地未曾觀賞，那麼多洋溢着天才的書卷未曾覽閱，那麼多躲藏的千古神秘未曾領悟。心胸遠未舒展，心靈遠未盡興，筆墨遠未縱橫，所愛的遠未致意，所憎的遠未告別。拂去傷感的眼淚，看得更分明的是時光、生命、美、太陽、土地、人，是晨曦暮靄、春花秋實、田疇碧野、雲彩穹蒼葱龍的詩意，是窗外小草、筆下方格、胸中情思的大自由與大自在，這一切，哪一樣不值得我投入身心去熱烈愛戀呢？

39

體驗過愛。但心驗不能替代體驗。唯有體驗才真切、才可靠。刻骨的體驗之後才有銘心的記憶。體驗過愛，知道愛並非愛其愛本身，並非僅僅愛其可愛處。愛是愛其整個生命和它的全過程。正如愛大河，是既愛它的清澄，也愛它的混濁；既愛它的微波，也愛它的狂瀾，既愛它的低吟，也愛它的長嘯；既愛它的昂揚，也愛它的徘徊。它的全部流程和全部景觀我都傾心。

40

生命過程有歡樂、有憂傷，有前行、有曲折，有成功、有失敗；有駱駝似的辛苦跋涉，有獅子般的浴血呼嘯，有小鹿般的栖惶逋逃，滄滄桑桑，浮浮沉沉。而我，愛其過程中的每一項。每一項都在豐富我與造就我，每一項都可以積澱很美的心靈顆粒。我詛咒苦難的製造者，但欣賞生命在苦難的打擊中迸射出來的堅韌光芒。

41

生命是多重體。生命是各種主體情思的交織。愛是生命的一脈，恨也是生命的一脈。以為生命裏只有愛，以為前行途中相逢相遇的只有愛，未免把生命過於浪漫化了。這種浪漫化的生命認知，將導致生命的脆弱，一旦遇到恨、邪惡與坎坷，便無法支撐下去，於是就頹廢，就消沉，就自殺。許多生命脆弱者不是沒有愛，而是太深地沉緬於愛。

42

常對着大自然讚嘆。對着晴空、麗日、圓月、星光、藍波、白浪，我讚嘆：太美，太精彩了。而對着雨天、落日、缺月、暗夜、狂濤、怒浪，我也讚嘆：太美，太精彩了。有後一部分，大自然才不是一幅單調的圖畫，而才是壯麗的造化，崇深的戲劇，才是力與矛盾的歌舞，才是滾動着宇宙活氣的偉大奇觀。

43

經歷過大劫難之後仍然對人類充滿信念，這一信念經過劫難變得更為堅固的信念。經歷過大挫折之後仍然對人生滿懷信心，這一信心才是最可靠的信心。在挫折中同時喪失脊骨、肝膽與信念，才是不幸。

44

劫難、苦難、磨難；憂愁、憂傷、憂患；失戀、失落、失望等，都是生命自然。接受生活，就是要接受生命自然的全部。不僅接受幸運的那一部分，也要接受苦難的一部分。只有接受它，才能超越它。不承認苦難是生命自然的一角，就會恨世界、恨自己。憤世疾俗者的生命自然觀是殘缺的。

45

「要愛挫折——愛自己的挫折」，存在主義草創者薩特這樣說。存在是豐富的，因為它包括挫折。挫折使人從昏迷變為清醒，從驕奢變為踏實。挫折刺痛了神經，激活身內那些已經沉睡和即將沉睡的一切，重新贏得軀體與靈魂的活潑。挫折的時刻，我的整個思想才貼近大地、貼近真實、貼近人間，不再滑動於浮華的表面，不再生活於假像之中。一想起挫折，我就有無數的話要說，挫折比成功帶給我更多結實的語言與哲學。我要感謝挫折，感謝它在我的生命流程中投下清醒的思想，讓我更加「成為自己」。

46

當代詩人帕斯說過：「靈魂也需要愛情。」僅僅充當柏拉圖式的精神戀愛者，恐怕很少人能做到。然而，靈魂真的需要溫馨，需要撫慰，需要知音。我天生是一個偉大靈魂的熱戀者，從少年時代就追求着荷馬、但丁、莎士比亞、歌德和托爾斯泰，直到現在我如果一天聽不到他們的獨語，就會感到寂寞。我丟三掉四，顧此失彼，生活雜亂無章，但讀書總有心得，就因為我在他們的書籍中投下了最真摯的情感。靈魂之愛，不僅幫助我理解，而且幫助我記憶。

47

此時我最高興的事是發現自己的性情心態和孩提時代差不多，並未變得蒼老世故。我覺得自己的心靈，高出時間一千丈。時間的河水在我腳底下潺潺流淌，叮噹作響，並沒有沖走兒時那個屬於我的天真共和國。

48

每天，我都在書中看到許多很美的精靈。除了書本，我還在花園草地裏看到另一些精靈：蜂蝶紛飛，蟋蟀與秋蟬在草間吱吱叫着，也許不是叫，而是歌吟；螞蟻在紫丁香叢中最高的一片碧葉上奔忙着，彷彿在呼喚着什麼。繁茂的樹叢大約就是他們的國土，百草園大約就是他們望不到邊際的宇宙；從紅砂岩縫隙中鑽出來的一群小甲蟲，帶着盔衣，正在向着樹墩裏的一個目標進擊，果敢、果斷、迅猛，不知是遊戲還是戰爭。觀賞着精靈們的戲劇，我想到：倘若人趣暗淡，別忘了天趣永恆。

49

沿着被林蔭覆蓋着的河邊小道散步。聽流水叮噹，鶯歌燕啼，看鮮花怒放，綠影婆娑，再加上草香與樹香的繚繞，便感到自己被朝氣蓬勃的生命所擁抱、所包圍、所撫愛。在美與生命的包圍之中，我想到的全是活着的美好。活着多麼好！即使遭逢到挫折與劫難，也沒有消沉和頹廢的理由。生氣勃勃的生命包圍着你，你也應當報以生氣勃勃的生命。

50

深秋的草地，遍地是落葉。春夏的繁榮與燦爛，這麼快就化為落葉，令人嘆惜。生命的暫時性是無可辯駁的真理。然而，落葉之後，明年又是繁榮與燦爛，那時，大地上找不到一縷大自然的白髮，落葉又化作春夏的輝煌。生命的永久性也是無可辯駁的真理。

51

人過中年，我常常發現自己更加年輕。時間尖叫着，奔突着，青春躁動着，盤旋着，生命彷彿剛剛開始。大海依然洶湧，想像力依然如海豚時時躍向天空，戲弄波濤的興致依然濃厚；雙腳渴望行走，眼界渴望伸延，生命期待着新的跨度。近處與遠處佈滿陌生者與未知數，讓我着迷的領域比大地還要寬廣遼闊，曙光把我帶到太陽面前，新一輪的人生出現在地平線上。身內外的一切都在告知我一個信息：你醒了！你醒了！所以你擁有生命年輕的早晨！

52

雖然年過五十，但總覺得還在生長，還在成長。少年時代在生長，青年時代在生長，中年時代還在生長，特別是那些看不見的生命部分，更是在生長。彷彿沒有不惑之年。四十之後的人生堆滿困惑，化解了一個困惑總是陷入更難解的困惑之中。彷彿沒有成熟之年。看看過去幼稚的自己，好像是成熟了，但面對明天和廣漠無際的天宇蒼穹，卻只感到太多的無知和永遠的幼嫩。這不是長不大，而是抵達不了那個落幕般的終點。

53

每次讀海德格爾的《存在與時間》，總是難以抑制內心的激動。既然死已確定，那麼生就該面對將死必死而選擇而思索而奮鬥，既然形體化為灰燼已經確定，那麼未成灰燼之前就該盡情燃燒盡情創造盡情放射光明，既然最後要永遠躺下永遠睡着永遠沉默在墳裏，那麼此時就該站着醒着坦然地歌哭着。見到暴虐就該抗爭，見到妖魔就該詛咒，見到孩子落入血泊，就該發出拯救的吶喊，可不能在死前就躺着睡着跪着和讓身心枯萎着。

54

儘管四方漂流，無家可歸，但太陽一直像兄弟跟隨着我，把我浸潤得渾身温暖。暴君一個一個死亡，太陽卻一天一天升起。每一次黎明都不重複。每一輪太陽都是新的。千篇一律的公式只屬於無法變改的黑暗。想到這一點，我就對生活充滿信心。

55

博爾赫斯喜愛但丁在《神曲》中的這一詩句：「在我們人生的中途／我發現自己正在黑暗的森林。」博爾赫斯引述這句話時正當三十五歲。我在這個年齡時是七十年代中期。這個時候，我實實在在地感到落入黑暗的森林之中。兩類森林都使我害怕，一類是權力的森林，一類是人群的森林。權力用的是大革命的名義，人群用的是大民主的名義，兩者都要我作追隨他們的羔羊。森林龐大無邊，但沒有一條可走的路。此次迷失之後，我才確認，靈魂的船長並非他人，唯有自己的心靈是穿越森林的嚮導。

56

我喜歡八十年代，在這個年代裏，沉睡在中國人心裏的許多東西醒來了。唯有「醒」字能說明這一動盪的歲月。人是人人非奴人是人人非畜人是人人非獸人是人人非牛鬼蛇神人非魑魅魍魎人是人人非黑幫人非黑四類黑五類黑九類人是人人非非人類。一個簡單的被時代壓扁的公式醒來了，一個被如簧巧舌詛咒得幾乎死滅的常識醒來了。從苔痕斑斑的心中醒來之後，便是不安便是洶湧便是奔突便是吶喊便是暴發便是死魂靈的復活與再生便是黃土地的復蘇與再造便是百花怒放百鳥爭啼啼得叫權勢者氣得用拳頭來打碎，於是沒有聲音於是假聲音在嘲弄真聲音於是九十年代總是在討伐八十年代，從愚蠢的政治人到聰明的讀書人。

57

那些看不見的，我看見了；那些聽不見的，我聽見了；那些觸摸不到的，我感受到了。所以我總是不能輕鬆，總是想在窗口下對着垂柳與斜陽着筆。

我看到春天裏的滿園落葉滿地狼藉，我看見夏日豔陽下血的陰影總是化解不了的陰影，我看到靈魂的蛆蟲鬼蜮的城堡蒼蠅的天堂和水鄉澤國中的陷阱，我看到死魂靈在耕耘在播種在繁衍，我看到覆蓋一切的市場上什麼都拍賣從牙齒到眼睛從肝膽到熱腸從詩到小説從政治到文化從綱領到旗幟，我看到天霽雲開的大地張滿潰瘍窮時疼痛富時疼痛由窮變富時更加疼痛。我什麼都看見了，我閉上眼睛也看見了，我必須記下我所看見的一切。

58

雖然被高亢的語言蒙住眼睛，還是看清橫掃一切的年代，無知、幼稚、荒唐，竟把妖魔當作旗手。但錯誤在良心上鑄下記憶，於是看清。記得那時豪壯的歌聲企圖淹沒呻吟，但還是呻吟，最後又加入了大地的哭泣，哭泣的時代結束之後，我和我的兄弟又用一個一個的文字拭擦眼淚，但淚水總是抹不乾淨。因此，我的文字總是潮濕的，沒有火藥味，也沒有為魔鬼辯護的怪味。

59

漂流海外，幾度對着煙波漠影滄然涕下。長空悠遠，讓自己緬懷不盡的不是那些通衢大道，也不是那些庭院紅牆，倒是家鄉那些已經消失的溪邊的小草和尚未消失的父老鄉親的白髮。嬸嬸曾和母親一起在陽光下親吻過我的臉頰，然而此時她已被長埋在黃土地下，沉睡在山塢裏和茶園裏的爺爺奶奶，一去不還，他們的墓前此刻是長着荒草還是芳草？還有北方的兄弟姐妹，那些撫慰過我心靈的朋友，一一全都變成遙遠的夢影。生者逝者，滄桑如雲，人生最後的實在還是這些永恆的思念。

60

身經一場靈魂深處的大革命，看到爆破、撕打、詛咒、奴役，然後便看到廢墟，看到漫山遍野的靈魂的屍首。沒有化作屍首的，也都古怪，要麼是呻吟，要麼是咆哮。廢墟上有許多人的骷髏，靈魂顯然已經抽空，只剩下統治別人的慾望和野心，我常常遭逢到這些空洞的暴力，於是逃離，逃得很遠，然後為這些騷動的靈魂寫着葬歌。

61

人死時一別而去，什麼也帶不走，來時赤條條，死時也赤條條，古代的帝王將相不甘心死時的赤條條，想帶走珍珠玉佩，想帶走嬌妻美妾，於是有許多殉葬品和殉葬人；然而，他們仍然什麼也沒帶走，只給後世留下一個貪婪的故事。

知道什麼都帶不走，不妨生前瀟灑一點，別為那個永遠填不滿的慾望而日勞心拙地掙扎。

62

我同時愛着祖國的兄弟和人類的兄弟。我深知，只有愛人類才能愛祖國。如果我仇恨人類並煽動我的同胞兄弟去樹立敵人，那麼，我將會把祖國置於孤絕的境地，並使祖國陷入自我燒烤之中。我熱愛着，所以一直把「四海之內皆兄弟」的標語緊貼在自己的心壁上；我熱愛着，所以一直鼓動着拋棄「敵人」這一大概念；我熱愛着，所以遠離仇恨揚棄仇恨，獨自在這靜謐的百草園裏唱着祝福兄弟的歌。

63

宗白華先生把自己的美學論集命名為《美學散步》。我喜愛這一名稱。思索與寫作如同散步。唯有散步心態，才有冷靜與從容，才能揚棄浮躁氣與火藥味。散步時是輕鬆的，但每一步都踏着開滿鮮花的土地。散步時無所企求也沒有目的，唯有無所奢望時心靈才真有自由。

64

卓越的存在主義作家卡繆，接受過馬克思主義並加入過共產黨，但他始終與毫無希望的教條保持距離。當他即將入黨的時候，他對朋友說：「在我將要經歷的生活中，我將始終拒絕在生活和人之中放一冊《資本論》。」在這位真正的作家心目中，一切神聖的經典，都不能阻止和妨礙他成為人和過人的生活，更不能阻礙他的天才原創力沖決教條的羅網而外化為精彩的精神大建築。經典讓人豐富，不是讓人貧乏。經典可以是太陽，也可以是墓地。

65

猶太民族有句告誡人的警語：「不要太靠近深淵，否則你會落水。」但是，我一直無法接受這一警告，依然固執地靠近深淵並發出自己的聲音。使我如此執着是因為我有一個頑固的念頭：天堂有限，人類無法都擠在天堂裏，總得有人靠近深淵，我不靠近誰靠近。支持我的信念的還有那些已經為人類而獻身的科學家與思想者，他們就是一些不畏落入深淵首先敲開地獄之門的卓越者。

66

人類愈來愈聰明，愈來愈善於保護自己。當下的房屋不僅有鐵門，還有電子警報系統。今天中國人所選擇的崇拜偶像也是最安全的偶像，這些偶像有學問，然而冰冷，他們遠離深淵，對人間的黑暗不置一詞。

67

可以修正自己，但不能背叛自己。背叛時的自我是虛假的，修正時的自我是真實的。柏拉圖曾用他的哲學腦袋向世界發出這樣的宣言：我寧願和整個世界不和，也要和自我保持一致。他說：「我寧願我的琴是不協調的……或是整個世界都與我不和，都反對我，也不願我是一個與自我不和、反對自我的人。」柏拉圖忠誠於自己，因此他也忠誠於社會。整個西方數千年的文化，幾乎成為柏拉圖哲學的伸延與叩問。

68

古羅馬奴隸的快樂，大約是逃離鬥獸場的快樂。鬥獸是絕望的較量，絕對沒有公平與正義的較量。人與人鬥已很痛苦，與獸鬥就更加痛苦。與人鬥有理可講，與獸鬥無理可講。我逃離牛棚時代時就有一種逃離鬥獸場的感覺，其快樂，乃是一種奴隸解放的快樂，原始的、初級的、但又是實實在在的大快樂。

69

桂冠、地位、名聲甚至自己的著作曾給我造成一種幻象，以為自己很有知識。這種幻象幾乎麻木了我的思想。一場劫難把我拋到海外，在陌生的世界裏我才意識到一切都很陌生，並強烈地意識到自己的「無知」。這種意識使我從麻木中覺醒，並獲得重新起步的動力。美國的通訊衛星之父約翰·皮爾斯說：「知識使人明目，技術使人高效，而意識到無知才使我們充滿活力。」

70

自由固然與身外世界有關，但更要緊的還是身內的覺悟。一個沒有力量戰勝外部誘惑的人，一個沒有力量拒絕各種目光的人，一個沒有力量反抗各種神聖名義壓迫的人，依然沒有自由。總是豎起耳朵聽着外部世界風吹草動的小鹿與兔子，雖然身在大曠野，但沒有自由。

71

喬治・桑塔耶那曾說：智慧來自幻滅。我在經歷了一次幻滅之後，相信了這句話。幻滅之後，我才學會懷疑和對一切理所當然的理念進行叩問。不再困死於理所當然的模式之中，便有思想不斷從牢籠中跳出。自殺是消極的否定，幻滅則是積極的否定。智慧是對僵化、平庸、鄙俗、愚蠢、蒙昧和偶像的否定。

72

到了自由的國度，原以為到處是自由。幾年過去了，才知道自由常常在遙遠的地方。中國的民歌唱道：「在那遙遠的地方，有一位好姑娘。」這位姑娘的名字就叫做自由，要接近她，還需要艱苦跋涉。沒有能力，沒有勤奮的雙手與雙腳，就沒有自由。連車子都開不動，哪有馳騁青山大道、綠野平疇的自由。

73

自由是什麼？無數思想家與哲學家皺着眉頭拋出一個又一個的定義。而對於我，自由是一種獨語，一種解脫，一種體驗，一種意識，一種拒絕，一種排斥，一種不順從駕馭與支配的反叛，一種不理會權力控制與金錢誘惑的尊嚴，一種不在乎升沉榮枯的孤絕，而且還是一種能夠管好自己、可對自己發出責任命令的力量。

74

看不見的世界比看得見的世界更為重要。精神世界、情感世界、蘊藏於人性深處的愛的世界，那是真正廣闊無邊、奇麗無比的世界。我的眼睛的成長，就是愈來愈看清這個世界，並被這個世界所激動。看到蒼穹閃爍的辰星，我高興；看到屹立大地的人格，我高興；看到孩子們的心緒如同原野中綠盈盈的勁草，我更是激動不已。英國生物學家赫爾登（John Burdon Sanderson Haldane）說過：「一個從未接觸過『視所不見的世界』的人，不會有太大的出息，這些人充其量只是『善良的動物』而已。」

75 丹納在《藝術哲學》中對《浮士德》作了這樣的闡釋：歌德的詩篇，描寫人在學問與人生中受了挫折，感到厭惡，於是彷徨、摸索，終究無可奈何地投入實際行動；但在許多痛苦的經歷和永遠不能滿足的探求中，仍舊在傳說的幃幕之下，不斷地窺見那個意境高遠的天地，只有理想的形式與無形的力量的天地，人的思想只能到它大門為止，只有靠心領神會才能進去。[2]這段話曾感動過我，使我沒有停留在理念中。理念確實只能把我們帶到高遠天地的門口，唯有生命體驗後的大徹大悟，才使我們接近世界的心臟，並在那裏擁抱着人間的大歡樂。

76 前些年，我曾說應當有憂患意識：河流正在乾涸，社會正在變質，沙漠正向東部移動，森林正在走向毀滅。有人響應說：憂患意識太落後。近日讀法國

2 〔法〕丹納，傅雷譯：《藝術哲學》（北京：人民文學出版社，1963），頁 363。

思想家埃德加·莫林的談話，才知道他把「沉淪意識」視為最新意識，只有意識到地球可能沉淪，我們才可能實現拯救。他說：我們將命中註定地陷入沉淪。……這是一個壞消息：我們無可挽回的失落了。如果有一種福音，即好消息，它應當以壞消息為基礎：我們失落了，但我們有一所房子，一個家園，一個祖國，這便是小小的地球。在地球上，生命為自己修建了花園，人類建起了自己的家。從此以後，人類將地球看作其共有的家園。地球並不是福地樂土，也不是人間天堂，它是我們的家園，是我們地球人生死與共的地方。我們應當老老實實種好自己的園子，即將地球文明化。

“笛福筆下的魯賓遜，脫離社會跑到汪洋大海中的孤島，此時，他不得不赤手空拳去重建人類原始階段最粗糙的文明，從小木屋到小木船。每一種建造都那麼繁重、艱辛。未曾有過如此體驗的人們常會忘記：時時刻刻包圍着我們並讓我們享受的平常的一切，從鐘錶、燈光、車船到文字，是多麼難得寶貴。我們像魚生活在一種海裏，這種海，不是自然海，而是偉大的文明之海。這是人類勞作、耕耘出來的海，每當我在海中浮沉時，就對自己的偉大同類充滿感激。

《山海經》的領悟

78 當八十年代中期中國作家在尋根的時候，我無所作為。因為我早已清楚我的根在《山海經》裏，在那個草樹蓁蓁密密、到處洋溢着原始野性與洪荒氣息的神話世界裏。那是一個人、神、獸三位一體的世界，那是一個生命無邊無沿、無拘無束的世界，那是一個不長心術不長權術也不長教條酸果的世界。無論是蛇身人面還是龍身人面，都是不加粉飾的、最本真的大地的兒子。

79 追日的夸父，填海的精衛，補天的女媧，治水的大禹，以乳為目的刑天，這些遠古的神話英雄，他們身上活潑而堅韌的神經，就是我的根。他們的名字就是我靈魂的血肉與骨骼。靈魂是需要血肉與骨骼的，更需要脊梁。人世間跪着與匍匐着的身體太多，而且長出了蘚苔與莠草，所以我更加緬懷偉大祖先那堅韌的、赤子的靈魂。

80 原始神話告訴我：你祖國的偉大日神是一位女性，她是帝俊之妻，名字叫羲和。她生育了整整十個太陽，並在甘淵這個地方完成了嬰兒的輝煌洗禮。每一個太陽都是必須的。說后羿射下九個多餘的太陽，那是《淮南子》編造的。我從偉大的女性日神中得到啟示：我心內也需要有十個太陽。我需要有多重多元的光明之源，需要有四面八方的暖流與知識流。

81

我身內十個太陽的名字是夸父、精衞、刑天、女媧，還有曹雪芹、荷馬、柏拉圖、莎士比亞、歌德與托爾斯泰。每一個太陽都不能少。我所以能睥睨烏雲，傲視寒風暴雪，心靈上空常有朝霞彩虹，黎明與黃昏都蓄滿暖意，就因為胸中有着十個燦爛奪目的太陽。有這些永恆永在的驕陽麗日相伴相隨，還怕黑暗與黑暗的動物嗎？還感嘆人生缺少流光溢彩嗎？

82

彷彿是在青年時代，那時我丟失了十個太陽，只留下一個人造的赤熱的太陽。儘管人們說，這是最紅最紅的紅太陽，儘管我十年如一日地生活在它的光環中，可是，留下來的卻全是黑暗的記憶。

83

追超烈日，填平滄海，修補蒼天，斷了頭顱之後還照樣操戈舞劍，這是可能的嗎？誰都會回答不可能。然而，遠古的英雄卻把不可能當作可能去爭取、去努力、去拼搏，知其不可為而為之。這正是東方偉大的日神精神，中國永遠不滅不亡的原因。我的故土上的太陽星辰，每一天都以它璀燦無比的光波提示我：別忘了，別忘了原始大地上第一曲英雄的悲歌和它的主旋律。

84

夸父面對燃燒的火海，精衞面對蒼茫的汪洋，刑天面對失去頭顱的身軀，大禹面對漫衍中國的洪水，女媧面對破敗的天空，他們都有絕望的理由。但是，他們面對絕望卻反抗絕望。我們的祖先是一些硬在絕望中開掘希望並發展希望的偉大孤獨者。在他們開天闢地的茫茫史篇中，每一頁都鐫刻着這樣的真理：人活着，不是為了等待希望，而是為了創造希望。

85

法國思想家埃德加·莫林和他的朋友這樣闡釋他們的希望原則：「不是希望使人活着，而是活着產生希望」。或者說：「活着孕育了希望，希望又使人活着。」刑天不僅體現這種希望原則，而且啟示後人：人類可以在自己的身上完成「復活」，即實現再生。可以在更新生命中實現新的希望。在險惡的逆境中，首要的原則是不要倒下。不僅不被命運所擊倒。而且重新創出新的造命運。生存、死亡、復活；希望、破滅、再生。這正是時空軌道上永恆的生命鏈。

86

夸父真傻，精衞真傻，女媧真傻。太陽追得着嗎？大海填得平嗎？蒼天補得了嗎？跋涉一個個白天與黑夜，口銜一塊塊細小的木石，手捏一團團的泥土，不分朝夕，不舍晝夜，奮不顧身地作力量懸殊的較量，選擇太陽、大海、蒼穹等最偉大的對手進行較量。勇敢、執着、堅韌，一身俠骨與傲骨。他們做着聰明人嘲弄的事業，卻走上聰明人無法企及的天地境界：在天空與大地之間展開彩虹般的自由羽翼。

87 不是爭取成功，只是爭取信念。他們的眼睛緊緊地盯着前邊那個美麗的目標，不知道什麼叫做勝利，什麼叫做失敗。結果並不重要，大美和大快樂全在過程中。魯迅說：「中國少有失敗的英雄。」因為中國人丟失了遙遠祖先的大心靈與大氣魄，而落入「成者為王，敗者為寇」的勢利理念中。

88 聰明人只能觀賞太陽的點滴光輝和大海的幾縷浪花，他們永遠是太陽與大海的局外人，而憨傻的夸父與精衞卻溶入太陽溶入大海，化作偉大存在的一部分。聰明人早已灰飛煙滅，傻子卻與太陽、大海一起穿越時空的圍牆與邊界，被傳說到今天。

89 夸父追逐太陽，最後溶入太陽。太陽是他所求的道。不屈不撓的求道者最後得道並化為道的一部分。夸父求的是光明之道，他的名字是光明的一角。

每天每天，當太陽從山那邊的岩角上噴薄而出，金黃色的光焰灑向花叢、草地、屋頂和圖畫般的窗口，我就想到，這是夸父的精靈。原始的、野性的、赤裸裸的、單純的精靈。這些精靈一旦走入我的身心，我就想行進，想嘗試，想奮發。顯然，他們在我的生命當中又投下了永不熄滅的熱能。

90 存在者是肉身，它屬於形而下；存在是道身，它屬於形而上。夸父、精衛、刑天、女媧都告訴我：存在者不可沉緬於溫柔之鄉。要奮飛，要長出穿越滄海穿越海怒浪的雙翼，要尋找存在的意義。

91 女媧、夸父、精衛、刑天，全是天地之間永恆的天真。只知耕耘、不知收穫的天真；只知奮飛、不知佔有的天真；只知拼搏、不知目的的天真。有天真在，便不顧路途中有懸崖峭壁，人生中有艱難險阻，貼近目標時有生死關頭。有夸父、精衛、刑天、女媧的名字在，就會有偉大耕耘者與追求者的靈魂在。王朝明明滅滅，天真的探尋者卻生生不息。

92 夸父沒有群落與國度，刑天沒有父親與母親，女媧沒有助手與同伴，他們都是孤獨者。精衛告別炎帝之後成了東海的流浪者。這些創世英雄以天為居所，沒有故鄉；然而，他們卻為他人創造無數故鄉。夸父在死亡的時刻還把自己身體的一部分拋入人間，化作一片桃林。那就是一代代炎黃子孫的家園。

93 刑天丟了頭顱，但心還在。心靈可以長出另一種眼睛。原始英雄擁有巨大的心靈，卻沒有巨大的頭腦。大心靈裏有大性情，真性情。現代人的腦袋很發達，心靈卻委縮，容納不了一點真情真性。夸父的性情瀰漫天空，精衛的性情覆蓋大海，刑天的性情穿越古今。我們可以在心裏建造夸父塔、精衞塔、刑天塔，好在人慾橫流的世上守住一份大性情與真性情，以遏制心靈的萎縮。

94

剛毅木訥者天然地藏拙。拙中有智慧。大禹治水三過家門而不入，女媧補天千百載而不知疲倦。夸父無言，精衞無語，刑天無聲，原始的大英雄們都是拙人、拙神。他們不是修煉口舌，而是修煉肝膽和性情。

95

我喜歡女媧，不喜歡共工。撞斷天柱容易，建構蒼天和修補蒼天卻很艱難。破壞天柱不是工程，補天卻是偉大的工程。女媧的勞作是大寂寞，沒有人知道她流過多少汗水。共工流了血，鮮血轟動了天內天外，人們都知道他是革命英雄。英雄的標尺變了，所以人們崇拜血與暴力。我要質疑這個標尺，為女媧，也為精衞。她們，才是真正的英雄。

96

白雲千載，藍天悠悠，誰是中國第一代理想主義者，誰是山高海深的第一代大夢的主體？是精衞，是夸父，是女媧。移山填海，修天補地，中國的遠古英雄擁有大浪漫、大激情、大理想。可惜中國今天只剩下小浪漫：作家筆下的情愛小故事，詩人紙上的小悲歡，霓虹燈下的色情小夜曲。

97

遠古時代的鳳凰美麗而自由，它「飲食自然，自歌自舞」，快樂地翱翔於原初的日月山川之中，可是，不知道從什麼時候開始，它被文化改造了，「五采而文」：「首文曰德，翼文曰禮，膺文曰仁，腹文曰信」。(見《西山經》)從此，鳳凰的頭顱變得沉重，翅膀變得沉重，身軀變得沉重。中國的鳳凰身負沉重的德、禮、仁、信，怎麼能自由地「自歌自舞」？我謳歌精衛，同情鳳凰。但願鳳凰的翅膀不再負荷過重，真的可以自歌自舞，如我今日的自語自説。

兩個自我關於故鄉的對話

98 東方之我：想到故鄉和祖國，我的情感簡單到只剩下一個「戀母情結」，像哈姆雷特那樣，因為害怕傷及自己的母親，總是猶豫彷徨，即使面對殺父的仇敵，也遲遲不敢亮出犀利的寶劍。

99 西方之我：自然的故鄉祖國和人造的故鄉祖國在我心中並不相同。自然的故鄉故國，既是山川、河流、池塘、阡陌，又是父親、母親、兄弟、外婆。我愛她們，她們也愛我。人造的故鄉祖國，有大街，有高樓，但也有王冠、槍彈、權力和計謀，我時而仰視着它，時而只想逃離它。政治化的祖國要我當一條夾着尾巴的狗；革命化的祖國要我當一顆螺絲釘；市場化的祖國要我充當賤賣的商品，為了贖回往昔的榮耀，把靈魂拍賣給魔鬼靡斯菲特。

100 生活與寫作就像六盤九曲的古棧道，在雲山霧海之中漂漂盪盪之後，還是覺得葉賽寧的話最正確：找到故鄉就是勝利。六七十年代風煙瀰漫，我贏得社會，卻丟失了故鄉；八十年代，我身在社會，心在故鄉；社會改造我，讓我身上燒着烽火，心中築起堡壘，我反抗社會，返回老家，終於找到了故鄉，找到了那一片蜂蝶紛飛的百草園，找到了那一片含水含煙的甘蔗林與相思樹，找到了那一座飄雨飄霧的武夷山，找到了那一堆芳草淒淒、荊棘叢叢的老祖母的墓地。

101 東方之我：故鄉固然是心靈，但故鄉畢竟是土地。古人說：寧為暴臣，不為逋客。屈原充當專制皇帝下的臣子固然痛苦，離開母親的家園更加痛苦。汨羅江的浪濤固然無情，但它畢竟可以沖走相思的飢渴。

102 西方之我：我永遠愛戀那片黃土地。漂泊海外，才明白自己像隻蝸牛，總是背着黃土地與黃面孔浪跡四方。看到榕樹的碧葉，看到蒲公英，看到小溪邊的鵝卵石，都會想起故鄉。然而，我愛故鄉的土地，不是愛那個雀巢似的小窩，那個溫柔之鄉。我記得我家屋後的那群雄鷹，它們一直把遼闊的天空視為故鄉。故鄉不是綁住雙腳的囚牢，而是容納生命大羽翼的地方。我與山鷹同時誕生，既是峽谷之子，又是藍天之子。

103 東方之我：年青時喜歡《奧德賽》，可惜聽不到荷馬的七弦琴。奧德修斯漂泊四方，最後還是回到自己的家園伊塔卡。引導他的船隊返航，是對於妻子的思念。世界多風多浪，故人畢竟是最後的港灣。

104 西方之我：盲詩人筆下的「妻子」的確就是故鄉。奧德修斯的故鄉不是伊塔卡，而是那一雙照明他回歸之路的妻子的眼睛和伴隨着他漂泊的藍髮似的海洋。「妻子」不是一個生兒育女的胴體，而是一個代表着愛、青春、美貌和記憶的名字，哪裏有愛和青春的記憶，那裏就是故鄉。

105 東方之我：《山海經》，百家語，屈原辭賦，李杜詩篇，西廂記，《紅樓夢》……全是我的故鄉。故鄉在，靈魂就不會荒蕪。記得那瘋狂的十年歲月，故鄉被封禁，我只能用疏疏落落的眼睛對着疏疏落落的天空與白雲。

106 西方之我：故鄉可以放在書袋裏。我就常常背着故鄉浪跡天涯。俄國演員符·伊·卡恰洛夫就說葉賽寧的詩集是他漂泊的故鄉。他說：「我在歐洲和美國漂泊的時候，總是隨身帶着葉賽寧的詩集。我有那麼一種感覺，彷彿我隨身帶着一掬俄羅斯泥土，它們明顯洋溢着故鄉土地那馥鬱而又苦澀的氣息。」我曾在新疆的天山懷裏看過天池與哈薩克族的帳篷。帳篷就是哈薩克人的故鄉，他們走到那裏，故鄉就跟到那裏。猶太人的帳篷則是他們的教堂，教堂總是跟着他們流浪。李維史陀說，原始人把家鄉帶在自己的身邊，其實現代人也可以把故鄉帶在身邊。我心愛的哲人與詩人，就如猶太人的教堂和哈薩克人的帳篷。

107 東方之我：故鄉不僅是一部部詩集。故鄉本身就是詩，就是寓言與童話。雲雀黃鶯，香草佳木，白雪公主，全在故鄉裏。走出大學校門，來到大北方，看到漠漠黃沙、濛濛煙霧，更加想念山明水秀的江南故鄉。走南闖北，還是故鄉這邊風景獨好。

108 西方之我：總是把故鄉浪漫化。如今四方漂流，該會發現故鄉並不完美。昂首四顧，該會明白天外有天。看到大峽令人暈眩的巍峨，才相信大地上有故鄉所沒有的千古奇色；看到大瀑布震憾大地的磅礡，才知道陽光下有故園所沒有的萬丈豪情。告別故土的遠遊，讓我打開眼界，不再製造故鄉的神話。發現故鄉不完美，不是不愛故鄉，而是期待着更美的光彩補充故鄉。

109 東方之我：故鄉給人安慰，也給人憂傷。魯迅童年時代的故鄉是圓月下和他一起守望瓜地的兄弟，是拿着鋼叉勇敢地刺向野豬的閏土，可是，幾十年後的故鄉，則是閏土那樹皮似的麻木的臉，還有那一聲讓人驚心動魄的「老爺」。魯迅活到五十六歲，故鄉比魯迅還年輕就死了。故鄉是什麼？故鄉是憂傷。

110 西方之我：故鄉是空間，故鄉又是時間。童年記憶裏，故鄉是女性，是母親，是水悠悠的小溪和綠油油的楊柳樹；青年時代的記憶裏，故鄉是男性，是父親，是強悍的躍進與粗暴的戰鬥。最後離開故鄉時，濕漉漉的眼睛看到的故鄉是孩子，是孩子像小牛一樣健壯但流淌着汗水的身軀。祖國是部巨著，少年時讀它，見到山川滿目；青年時讀它，見到紅旗滿坡；中年時讀它，見到牛鬼滿棚；此時讀它，又彷彿是金銀滿箱。我歌唱祖國，只能歌唱它山川滿目，不能歌唱它牛鬼滿棚。

111 東方之我：詩人作家們都說「鄉愁永遠」，《離騷》唱了兩千年，仍然沒有唱完。屈子遠去，汨羅江的春水還年年歲歲流淌着鄉愁。

112 西方之我：我有鄉愁，但我的鄉愁不是屈子那種對於都城臺閣的回望，更非放不下那些浮華的大街與高樓。我的鄉愁是心靈的密碼。曾有一堆篝火，點燃過我胸脯中的真誠；曾有一串熾熱眼淚，澤溉過我人性中的善良；曾有一縷真誠的目光，呼喚過我心底的愛戀。我本應守候着這篝火，這眼淚，這目光，然而我遠走了，此時想起，唯有錐心的鄉愁。我的離騷是負疚，是羞澀，是悔恨那些金子般的失落。

113 東方之我：你的離騷是反離騷，你的鄉愁是反鄉愁。

114 西方之我：不，我的鄉愁是良知的鄉愁與青春的鄉愁。我的離騷是緬懷那些不該遺忘的角落，是對那些丟失了的天真與人性的輓歌。我們這一代人，丟失了那麼多，兒時單純得像晨光像草露，三十而立之時卻滿口爭鬥，變得如狼似虎。

115 東方之我：對着一個絕望而想自殺的女子，田漢用茶花女説過的話勸慰她：我夢想着鄉村，夢想着純潔，夢想着回到我的兒童時代。女子聽了這話之後走出了絕望。她重新看到了故鄉。不是她去拯救孩提王國，是孩提王國拯救了她。孩提王國正是她心靈的祖國。站立在同一片土地，近處讓她絕望，遠處讓她希望。曙光有時在未來，有時在往昔。往昔與未來常常相接。

116 西方之我：我終於理解尼采的那句話：「什麼祖國！那兒是我們的『兒童國』，我們的舵便駛向那裏。到那裏去吧，比暴風浪的海更奮勇。」我們的祖國就是「兒童國」。我尋找故鄉、尋找祖國，找了很多，沒想到在異鄉卻找到了故鄉和祖國，這就是與天牛與蜻蜓與山鷹與奶奶與外婆天天相處的兒童國。我的最基本的生命在兒童國裏，我的最本真的歷史在兒童國裏，我的不可消滅的夢想與資源在兒童國裏。

117 東方之我：兒童國是個大搖籃。它搖盪着，搖着讓我們入睡，搖着讓我們作夢，搖着讓我們覺醒。到如今，我們的夢和醒，我們的記憶與靈感，還是連着它的搖盪。

118 西方之我：我的鄉愁就是思念這個兒童共和國，就是依戀這個只有雲彩沒有硝煙、只有霓霞沒有瘴氣、只有草露沒有酸果的共和國。我知道世上的權力與市場都在摧毀我的兒童國。我還知道它被摧毀得差不多了，我看到我的祖國的斷牆頹壁。

119 東方之我：可是兒童國還活在記憶裏，活在你和我的心史心傳裏。父親去世，你曾大聲啼哭；奶奶講述狐仙故事，你曾窮追猛問；堂哥哥帶你去上山砍柴，你的手掌全是傷痕卻滿不在乎；你咬了兩根鹹蘿蔔，喝了一口稀飯湯，然後又滿臉春風踏上上學的小路，一點也不嫌棄媽媽的貧窮……這個祖國，該永遠留在你心中。

120 西方之我：海明威曾說：「不幸的童年是作家的搖籃。」搖籃過去養育了我，今天也許還會拯救我。我常常聽到奶奶的歌聲，她提醒我不要走入世故。幾次面臨黑色的深淵，我都感到爺爺的手臂把我拉向故鄉，拉回到兒童國，免得讓我從宇宙深處來到地球一回忙忙碌碌，卻只當了一隻政治動物與金錢動物。

121

東方之我：朋友說，海外漂流者中，你丟失得最多，因為你本來擁有的最多。國家對你那麼器重，社會對你那麼寵幸，你有那麼多的榮譽，那麼多的鮮花與掌聲，可是，你卻毅然展翅高飛。我對朋友的困惑無言以對。

122

西方之我：遠離昔日的家屋，遠離朝思暮想的土地和情同手足的朋友，不辭黑風巨浪的顛簸，也不怨陌生國裏的空空落落，不為別的，只為了一張平靜的自由的書桌。這書桌，便是故鄉，便是兒時的竹筏搖籃、茅棚農舍。可曾記得當年在溪邊汲水，這書桌，正是那條清澄的小溪。瀲灩波光，粼粼月影，就在桌上浮游。你知道嗎？我的另一番鄉愁就是對書桌的眷戀，從青年時代到中年時代，整整二十年，久久思慕，久久渴念，久久呼喚。

123

東方之我：書桌時的平靜之鄉，確實是中國知識人的百年之夢。說起書桌的鄉愁，使我想起顧頡剛先生的故事。顧先生的妻子臨終那一年，因身體不好，把小女兒寄養在叔母處，有一天，叔母因有事把孩子送回顧先生家中，「看着她的母親就笑，捫着她的母親又笑。」顧先生為此事感動得眼淚也迸出來了。他後來說：「我對於學問的眷戀，就像這嬰兒對於母親的眷戀。」（見一九二四年十一月二十九日給李石岑的信）學問，書桌，就是知識人的故鄉。他們對於學問的眷戀，正是刻骨銘心的鄉愁。

124 西方之我：顧頡剛先生說他能走上學問之路完全得益於童年時代的好奇心。他說：「我是一個特富於好奇心的人。」不到七八歲，他就喜歡翻看書籍。而翻看不是為了功課，也不是為了家長，只是「遏不住好奇的慾望，要伸首到這大世界裏探看一回。」除了讀書，他又嗜好遊覽，在童年時最盼望的是掃墓，可以藉此到遠處去觀賞湖山與森林。他所以喜歡遊覽，也是為了「要伸首到大世界裏探看一回」。顧先生的晚年非常寂寞，他的鄉愁，該是懷戀那個蹦跳着好奇心的孩提王國吧！

125 東方之我：他鄉再好，生活在他鄉畢竟是個異鄉人。孤獨感、滄桑感、惶惑感全屬於丟失母國的漂泊者。普希金的詩云：「無論命運把我們拋向何方／無論幸福把我們向何處／指引我們——還是我們：整個世界都是異鄉／對我們來說，母國只有皇村。」

126 西方之我：我從小就會背誦「整個世界都是異鄉」的詩句，在異鄉的譜系中，我排除了苦難的黃土地。可是當這片鄉土變成牛棚與馬廄的時候，我對它開始感到陌生。牛棚與馬廄不是我的家園，它永遠是我的他鄉。當生我育我的村莊拆除兒時的搖籃，要求我變成一顆螺絲釘的時候，我對這個村莊也感到陌生。卡繆的「異鄉人」，雙腳踏着熟悉的土地，心靈卻進入不了統治土地的概念，於是，他逃離這些概念，成了這些概念的異鄉人。

127 東方之我：我明白了，人的尊嚴是無條件的。任何名義都不能把它消滅，包括「母國」與「故鄉」的名義。不能讓國家的偶像撕毀人的尊嚴與自由。不錯，應當告別偶像。故鄉畢竟是人間，不是牛棚與狼窩。我在對母親社稷朝拜的時候，不允許故鄉對自己的兄弟拳打腳踢。

128 西方之我：蟲豸在黑暗中爬行，鬼蜮在蕭疏的村落裏唱歌，它們借助着祖國的土地繁殖，一旦繁衍到可以主宰一切，便宣稱自己蠕動的身軀就是祖國，而且以祖國的名義讓我和他們一起投入黑暗。在這個時候，我唯一的選擇是如此說：那一片土地是我的祖國，但在土地上蠢蠢蠕動的生物不是我的故鄉。

129 東方之我：回過頭看看過去，方悟到壓迫自己最深的正是自己的同胞。所有的毀謗、攻擊、污蔑都是來自同一血緣的人類。戰場、牢獄、牛棚，都是同胞同族所設立的。當「故鄉」、「祖國」成為壓迫者的面具時，我只能選擇逃離。

130 西方之我：漂洋過海，穿越萬里煙波來到天涯海角的異邦，而且寄寓在遠離繁華的洛磯山下，但太平洋彼岸的同胞仍不放心，他們還幾次伸出長長的手要扼制我的咽喉，堵塞我發出個人的聲音，這才使我知道：同胞扼制同胞、兄弟統治兄弟的慾望，是何等強烈？

131 東方之我：解構同胞，才知道怎麼愛同胞；解構兄弟，才知道怎麼愛兄弟；解構祖國，才知道怎麼愛祖國。愛遼闊廣大的祖國容易，愛祖國的一棵樹木和一個受冤屈的兄弟多麼難。

132 西方之我：是的。懷想祖國時不是懷想豪華的紀念堂與停放在堂裏豪華的水晶棺，而是懷念水晶棺外衣食無着的母親與孩子。祖國是活的，祖國有血有肉，有覺有知，有情有義。我緬懷祖國時，記起窮兄弟的小葉笛，它對着向日葵和野薔薇吹奏戀歌；也記起大躍進的斧頭，它對着掛滿綠葉的榕樹無情砍去。我的故鄉不是刀鉞，而是那一片清脆的葉笛。

133 東方之我：國家放逐一批流亡者，本意是為了使他們自生自滅，從此消聲匿跡，但是卻使這些流亡者贏得走向世界深處的可能。歷史就是這樣厚愛着漂流的生命。

134 西方之我：當愛爾蘭的黑暗沉重得令人窒息的時候，喬伊斯決定離開他的祖國開始流亡。他把生命灑向歐洲大陸，在巴黎、羅馬、蘇黎世和第里雅斯特等地放開自己的眼睛，並創作了本世紀最卓越的作品之一——《尤里西斯》。經歷流亡和創造的喬伊斯說：「要想成功就得遠走高飛。我丟掉雖然很多，但丟掉的一切都沒有價值。唯有遠走高飛，才能丟掉名譽、地位這些沉重的負累。我比別人丟掉更多的負累，收穫更多，應當飛得更高更遠。」

135 東方之我：喬伊斯並非政府逼走，他的流亡乃是自我放逐。人是一種運動的生物，作家更是如此。偉大的作家就其內在心靈來說都是一樣的，都是尤里西斯和浮士德，都是精神上的流浪漢。他們以不停留不滿足為美為樂。他們的生命在於他們的視野。唯有漂流，他們才擁有最寬廣的眼睛。

136 西方之我：知識分子的共同故鄉，是人類歷史所積澱的知識海洋。他們的心靈與人格是世界文明所締造的。他們對文明乳汁的吮吸，造成了自身的覺醒，但也造成自身的苦痛。

137 東方之我：知識一旦產生，就屬於人類所共有。任何國家的邊界都不能成為知識的圍牆與關卡。思想沒有國籍。國界線對於思想者沒有意義。

138 西方之我：東西方的區分，海內外的界線，太平洋與大西洋的對峙，只印刻於地圖之上，並不存在於我們心中。我們心中只有一張思想者部落的四維空間和朦朧地圖。古希臘，古羅馬，古埃及，古中國之間沒有國界，今美國，今法國，今德國，今中國之間也沒有國界。荷馬、蘇格拉底一直被我視為老鄉。盧梭、康德、莎士比亞、托爾斯泰一直被我視為部族的長老。

139 東方之我：離開母親的懷抱之後，開始讀書。進入書海便生活。安睡在另一博大的懷抱裏，從安徒生的懷抱到托爾斯泰的懷抱。生命在永恆的懷裏成熟。他們的懷抱，又是搖籃與故鄉。

140 西方之我：故鄉有時很小，有時很大。說故鄉像郵票那麼小是對的，說故鄉像大海那麼廣闊也是對的。故鄉有時就是沙漠中突然出現的深井，荒野中突然出現的小溪，暗夜中突然出現的燈火；有時則是任我飛翔的天空，任我馳騁的大海，任我索取的從古到今的智慧。

141 東方之我：生命不僅可以在自己身上找到，還可以從其他生命中找到——從往日知音與後世知音找到：不是在我的名字上找到我的意義，而是在讀者與知音的名字上找到意義。容納生命意義的過去與未來的心坎，就如同容納童年的處所，那是情感的故鄉。文學，應當對着未來無數年代的知音訴說。故鄉活在過去，故鄉也活在將來。

142

西方之我：曹雪芹把故鄉推到很遠，推到無數年代之前女媧補天的地方。然而，女媧的母親是誰，我們仍然不知道。基督是上帝之子，女媧是誰的女兒？把故鄉推到超驗世界中，才意識到自己的生命淵遠流長，現實中的一頂小小的桂冠，一場小小的風波，並不重要。

「人生哲學」漫筆

143 儘管常常聽到有人談論卡夫卡，但卡夫卡其實還是被全世界所忽略。這位偉大的作家用荒誕的方式給全世界敲下巨大的警鐘，提醒全人類一條最根本的事實：人的價值，人最真實、最寶貴的生命價值已經失落。失落在耀眼的現代化成就中，失落在機器、技術、武器和一切工業、商業潮流中。人類對自身的失落沒有感覺，所以對卡夫卡的提醒也沒有感覺。

144 二十世紀初期，卡夫卡就給人類社會提供了最清醒的意識：人完全被消滅了，而且是在最高的靈魂層面上被消滅。被現代化的工業、商業、機器消滅了。人變成可憐的小蟲，本已微不足道，卻還在莫名其妙地經受各種「審判」。地球上最聰明的生物，在自己製造的城堡面前完全迷失了，走投無路，不知歸宿。二十世紀中國的「五四」新文學運動最根本的缺點是，只把眼光投向尼采，而未投向卡夫卡。

卡夫卡提醒人類：出路只有一條，就是趕緊從自己製造的甲殼裏逃亡，從自己製造的城堡與審判所裏逃亡。

145 人被自己製造的東西所統治、所支配、所主宰，這就叫做異化。卡夫卡在奧斯維辛集中營出現之前，就發現人在製造消滅自己的各種形式的集中營。現實社會本身就是荒誕。不是帶有荒誕性，而是荒誕貫穿一切。人創造了剝奪自身的鐵甲、原子彈、審判所、監獄、迷宮、概念等等，哪一樣不荒誕？

146 二十世紀出現許多了企圖改造世界的英雄，但他們都忽略了自己——改造者本身也是一片混濁，混濁得幾乎不可救藥。改造主體身內的魔鬼，不斷膨脹，無法控制，人性惡到處蔓延。他們或以社會的良心自命，或以正義的化身自居，可是燃燒的卻是人性的慾望和領袖的慾望。一個自身混濁的人，怎能當救世主？

147 啟蒙者的悲劇是他們本想引導大眾，但最後卻落入迎合大眾的陷阱。啟蒙者先是被大眾捧為偶像，然而，為了不脫離大眾，他們只好迎合大眾那種不斷製造新偶像的需要。於是，啟蒙者變成被啟蒙者。任何啟蒙者本身的內心，也常常一片混沌，也有一座堡壘似的自我地獄。

148 以為自己可以充當救世主，這也是烏托邦。確認自身乃是一片渾濁，正視自己人性的真實，正視人性中的無序、幽暗、混沌，先救救自己，才能告別烏托邦。卡夫卡的《變形記》提醒我們：你想拯救世界，還是想正視一下混沌的弱小的自己。

149 肉體有血，靈魂沒有血。被稱為剝削者的人常被稱為吸血鬼。吸血鬼容易引起憎恨，而吮吸人們靈魂的權勢者，則沒有吸血的痕跡，他們仍坦然地高坐雲端，繼續着那些打擊人類靈魂的事業。

150 二十世紀的圖騰除了奧斯維辛集中營、古拉格群島、南京萬人坑之外，還有科學家發明的原子彈。原子彈絕對是罪惡的炸彈。它的罪惡在於濫殺無辜。它比「排頭砍去」的斧頭還殘暴還不分青紅皂白。魯迅先生曾著文批評人類只歌頌殺人的拿破崙，而不歌頌救人的發明盤尼西林的隋那。他尚未看到，人類還把原子彈之父視為偉大的英雄。

151 二十世紀的人類經歷了兩次集體的死亡體驗，即兩次世界大戰之後仍不覺醒，戰後仍然在冷戰，在備戰，在瘋狂地製造更殘暴的武器，僅此一點，就可證明，人類乃是一種無可救藥的生物。

人類總是不可避免重複自己曾經做過的蠢事，不斷地製造「蠢事」的翻版（新版本）。這說明，經驗教訓難以傳遞，人類並不善於從自己的歷史錯誤中學習。戰爭，乃是人類創造的最大蠢事，可是它總在重複，幾千年烽煙不斷，至今仍然是戰火到處蔓延和準備戰爭的鑼鼓響徹雲霄。

「我是誰」的叩問

152 我是誰？人是誰？我是什麼？人是什麼？

卡夫卡發現，真可憐，他們被天地所不容，被社會所不容，也被父母所不容。是大寫的英雄還是卑微的小蟲？哪個更符合人的真實？尼采的「超人」，卡夫卡的「甲蟲」，哪一個更貼近人的本相？世界是高樓大廈還是城堡與審判所？哪一個是真面目？

153 八十年代初，有一句話總是留在我的記憶中：「人們必須作極大的努力——然後才能醒過來」。這是俄國思想家舍斯托夫在紀念大哲學家愛德曼・胡塞爾時說的。[3] 二十年前，我正在致力於從睡夢中醒來。我已沉睡了整整一個青年時代，如果睡眠繼續伸延，連中年、晚年也渾渾噩噩，那麼，我此生的「生」便是假象，唯有「死」是真實。我必須醒來，醒來也許也需要整整一個時代。醒，是生與死的巨大槓桿。

3 轉引自《哲學譯叢》，1963 年第 7 期。

沉睡得太久了，睡得忘了我是誰，睡得忘了生命的本真與本然。那個赤條條的農家子哪裏去了？那雙明晃晃的孩子眼睛哪裏去了？那副暖烘烘的書生胸襟哪裏去了？醒來之後第一件事就是找自己。連自己也找不到的尋找不是悲歌是什麼？

154 要承認，我確實中過魔。着了魔在沉睡中得了本體病：我丟失了自己。我喜歡浮士德，也喜歡唐吉訶德，但更喜歡後者，因為他更天真。他就坦率地承認自己中了魔：「我心中明白，我清楚自己着了魔，知道這一點就足矣，我的心中就夠踏實了。」唯有坦白，才能踏實。我必須坦白自己曾經中了魔法，我必須從魔法的籠罩中逃亡，逃到天涯海角，逃到這只有天籟、少有人籟的落基山下。

155 一位法國思想者說，笛卡兒發現獨斷論是沉睡。不錯，獨斷論從人們身上奪去了質疑與叩問，奪去了生龍活虎的思索與思辨，只留下睡眠。獨斷論是沉睡，宿命論是沉睡，歷史必然論是沉睡。理論製造沉睡，教條成了催眠曲。

他人的沉睡是打鼾，我的沉睡是麻木。被人吃沒有感覺，參與吃人沒有感覺，自己吃自己沒有感覺。顯然中了魔。我呼喚大自然幫助我，呼喚草地與果園幫助我，呼喚天真的孩子和尚存天真的友人幫助我。我需要美的療治與意義的療治。

156 蘇醒了，迷濛的眼睛張開了。第一眼看到的是自己，第一個問題便是「我是誰」？環顧四面八方，環顧青山與綠水，環顧大海與雲霞，小聲地問，用心地問：我是誰？問題就是鐘聲，問題就是吶喊，問題就是覺醒。儘管問題太笨拙，但我已從問題中翻過身，張開眼。有質疑才有尊嚴，有叩問才有自己。我是誰？我要像獅子那樣吼叫，要像奔雷那樣在雲層中爆發出巨大的響聲。

157 誕生於黎巴嫩的偉大詩人紀伯倫在《沙與沫》中說：「只有一次我無言可對，那是當一個人問我：你是誰？」無法回答，他只能說：「上帝的第一個思想是天使，上帝的第一個字眼是人。」人太豐富了，人太精彩了。「我」太豐富了，「我」太精彩了。說我是蒼天之子是對的，說我是大地之子也是對的；說我是大河是對的，說我是河邊上的一顆沙粒也是對的，說我是森林是對的，說我是林海中的一片葉子也是對的；說我是太陽、是黑夜、是雄鷹、是啼鳥、是鮮花、是野草、是嚮導，是迷路者……都是對的。我是一個世界。我身上的內宇宙有着無數日月、無數星辰、無數霓霞，那裏也是無始無終、無邊無涯。人間的字眼太有限，一萬個概念也無法把我界定。

158 「一切都可以放棄，除了我的七弦琴。」牧羊崽出身的俄羅斯天才詩人謝爾蓋．葉賽寧就是這樣把詩歌視為高於一切。人本來就豐富，詩人則更加豐富，所以他說：「我將永遠不能和自己講和，我對我自己是陌生的。」他是永恆的宇宙浪子和世界遊民，心靈五彩繽紛，情思溢滿天際海角，我們該說他是誰？是大舞蹈家鄧肯的情侶？是托爾斯泰孫女的丈夫？是流浪漢？是同路人？是反革命？什麼字眼也不能把他描述，把他確定。一確定便是死亡，無數雄姿英發的大生命就慘死於確定之中。葉賽寧逃避和反叛他人的確定和自己對自己的確定，所以他對自己總是感到陌生，他的歌唱總是不斷超越自己。

159 確定是一種專制，命名是一種暴力。一個豐富的、精彩的生命存在一旦被命名，一旦被本質化為一個「分子」，一種概念，這個概念，這個名稱，就是棍棒，就是鎖鏈，就是囚牢。

160 命名時主體被外界強行注入黑暗，注入本質，被強行改變原先的生命內涵。原先主體中的自由、光明、思索全被剝奪。被命名之後，母親不認識，朋友不認識，她們都躲得遠遠，像逃離瘟神、病菌、魔鬼，最後，被命名者也不認識自己，黑暗吞沒了他的記憶與信心，他也覺得自己可能正是被命名的黑幫與害人蟲。

161 我是誰？暴虐的命名者告訴提問者：你是「國民公敵」，提問者說「不」。可是提問者的同事、朋友包圍着他，手指頂着他的額角：「你就是國民公敵！」

接着是兄弟、兒女、妻子加入了包圍圈，也用手指點着他的額角：「你就是國民公敵？」提問者迷惘了，不知道自己是誰，終於接受了「國民公敵」的命名，背叛了自己。最後的猶大（叛徒），不是別人，正是自己。

162 阿Q一直搞不清「我是誰」和「誰是我」，對於自己的名字與祖宗的姓氏也一團模糊。麻木與渾渾噩噩倒也自在，可是，在堅硬的拳頭打擊下，他卻立即確認「我是蟲豸」。只有承認自己是蟲豸、是豬狗，才能逃出劫難。人間嚴酷，承認自己是「零」（不是人）還不行，唯有承認自己是負數（害人蟲），才能逃命。天地不仁，使權勢者視百姓為蟲豸、為豬狗、為負數。

163 在六七十年代的文化大革命風煙中，我曾經像一隻顫動着雙腳的兔子，豎起耳朵聽着平素仰慕的權威學者確認自己等於零，即所有的著作均無價值，而且確認自己是個負數，即連人也不是，而是「害人蟲」、「牛鬼蛇神」、「落水狗」。對於負數的確認，雖然踐踏自己的心靈，卻獲得一條出路。負數有時可以成為生命的救星。只是，它一直成為我雙腳發顫的噩夢。

164 一九七九年年底，中國女作家宗璞曾發出一聲「我是誰」的叩問。她的小說《我是誰》的主人公、女教師韋彌，就是一個生命的負數。她的丈夫自殺，她自己被剃成陰陽頭，被奪去全部女性的美，一切感覺都已麻木，唯一的感覺就是自己變成蟲子。蟲子的眼睛張開着，於是她看到其他教師也是佈滿傷口的蟲子，全是一本正經的爬蟲。麻木的蟲子爬着還能活，可是她偏偏夢見蟲子們突然變成雁群，在黑暗的天空中排成明亮的「人」字。人字出現在靈魂的上空，還能甘心作爬行的蟲豸嗎？雁群的啟迪，使她知道「我是誰」，也使她落入更痛苦的深淵。

165 賤民的兒女與奴隸的兒女在童年時代不知道「我是誰」，於是，他們照樣在河流中戲水，在沙土中滾爬。待到有一天，他們被告知乃是一個賤民之後，他們才感到天昏地黑，知道這個世界不屬於他，他將永遠生活在歡樂與尊嚴之外。知道「我是誰」，往往是大不幸。

166 命運之神給少年無辜者一個絕望的通知；你是誰？知道嗎？你是黑五類的子弟，你是賤民之子。這是一個晴空霹靂，一個黑色轟炸。在這一瞬間，少年無辜者完成了一種絕望的自我意識：我是非人，此後家鄉、祖國、校園、大地不再屬於我。我的名字將永遠存放於地獄的的另冊之中。第一個給賤民之子送去「你是誰」的信使，必定擁有一副鐵石心腸。

167 金庸《射鵰英雄傳》中的歐陽鋒，走火入魔，竟忘了「我是誰」。當黃蓉告訴他，只有一個名叫歐陽鋒的人可以和你一比高低，他更想不清此人是誰。而當他一旦知道「我是誰」之後，也就瘋了。歐陽鋒是個梟雄，他知道「我是誰」之後就發瘋，尚有些悲壯。而賤民之子知道「我是誰」後而發瘋，則完全是悲哀。

168 我是蟲豸嗎？是我自己變成蟲豸，還是社會把我變成蟲豸？平地一聲雷，中國作家發出這一聲叩問醞釀了三十年。可是，比起卡夫卡，卻又遲了七十年。天才的卡夫卡，在世紀之初就預見，人類將會在某一個瞬間被外在的力量變成一隻甲蟲。他的《變形記》第一句話便是：「一天早晨，格里高爾·薩姆沙從不安的睡夢中醒來，發現自己躺在床上變成了一隻巨大的甲蟲。」如果格里高爾·薩姆沙是人類的符號，那麼，他經歷的是一個偉大的覺醒的早晨。在這個早晨裏，他發現人類喪失了一種最重要的東西，這就是他自身。

169 一個德國人預言，人在進化的鏈條上往前走，人將變成超人，這是尼采；另一個德國人預言，人在進化的鏈條上往前走嗎？人將變成非人——甲殼蟲。這是卡夫卡。誰是誰非？到了世紀末，人類發現自己個個背負着甲殼，這就是機器。人成了機器的奴隸、電腦的附件。不僅戰場上士兵用坦克、飛機作為自己的甲殼，而且所有城市的居民都把汽車和房子當作甲殼。人際的温暖已經消失，世界變成很寒冷。連母親都討厭自己的兒子，妹妹都憎恨自己的哥哥。而政治權力則迫使自己的臣民個個帶上鋼鐵一樣堅硬的面具，沒有謊言就不能生存。

170 在古希臘，人類因為處於幼年時期而像伊底帕斯王那樣不認識自己的母親——不認識自己的歷史與祖先，即不知道「誰是我」。而到了二十世紀，人類的眼睛卻發生另一種迷失，不知道自己是不是人，不認識自己，即不知道「我是誰」？紀伯倫在「我是誰」的提問面前感到難以回答，是因為人太豐富，而卡夫卡在「我是誰」的提問面前感到難以回答，是因為人太荒誕，於是，他提出的是更高的哲學懷疑：我是人嗎？這種懷疑，正是二十世紀的時代性大苦悶。

171 「五四」新文學運動之前的文學敍述者都是全知全能者，並不叩問「我是誰？」而新文學運動則一開始就發出「我是誰」的叩問。「我是狂人嗎？」他們認為我是狂人就是狂人嗎？他們認定自己是聖人就是聖人嗎？食人者自稱是聖人，我看到食人者食人卻被視為瘋子，這是合理的嗎？可是四千年的說教都說這是合理的，所以我要戳穿這些說教。

172 文學上的全知全能者正在消失，但現實中的全知全能者卻很強悍。他們指鹿為馬，指人為牛，指我為物（螺絲釘）。他們規定我是誰，如果我不知不覺，便無災無禍；如果我有知有覺，質疑一下這是誰，便難以平安。誰想過安穩的日子，誰就該收起「我是誰」的提問。

173 從東方漂流到西方，走出一個文化困境，又走進另一個文化困境，兩邊彷彿都是家園，兩邊彷彿都是墓地。情感的鄉愁隨風飄盪，一會兒落在滄海的這一岸，一會兒落在藍水的那一邊。我是誰？我是此鄉人，還是異鄉人？我是生活在兩道光明之中還是兩道黑暗之中？我是被兩片大地所組合的完整人，還是被一片汪洋大海所割切的分裂人？我不知道自己是誰？至今朦朦朧朧，若明若暗。

174 故國給我一本護照，但不給我「綠卡」，我的住房被沒收，我的著作不能自由出版，我的思想與文字在祖國沒有居住權。

異國給我一張「綠卡」，但我不要護照，我記得自己是中國人。

我的身份證是分裂的。人是身體、靈魂、身份證三位一體的生物，可是，我被切割成碎片。我是誰？我是整體還是碎片？是完整的鐘錶，還是搖動的鐘擺？還是破散的零件？

175 突然想起英國荒誕派劇作家哈羅德·品特（Harold Pinter），想起他的影影綽綽、縹緲不定，想起他的茫然不知所措的《看門人》和劇中的流浪老頭兒戴維斯。他被帶到一間常常漏雨、天花板上總是掛着一隻吊桶的破舊房子，出於同情，主人讓他住在這裏，而且要讓他看管這所房子；可是，需要他的身份證，儘管他是個能幹的、一直在「做着服務工作」的人。為了身份的證明文件，他必須到一個非常遙遠名叫「錫德克普」的地方去領取，「必須去那兒，不然，我就完蛋了」，可是，天一直在下雨，他又找不到鞋子，因此，他永遠去不成，永遠也無法證明自己是誰？也就無法簽定一份看管一間破舊房子的契約，最後，無論他怎麼乞求，還是被轟走。

我記得我的同時代人，都是戴維斯式的看管人。有的被安排看管一台打字機，有的被安排看管一張病床，有的被安排看管三隻牛或馬，有的被安排看管四輛或五輛自行車，有的被安排看管六個燒開水的鍋爐。我認識一個知名作家，看管了七個廁所。不管做什麼工作，都沒有貴賤之分，這是革命國度的好處，但都需要身份證，沒有北京戶口證明文件，是不許在北京掃廁所的。燒開水也要警惕，沒有身份證的人，可能會在水裏放毒，千萬不要忘記階級鬥爭。

176 我自己也想當個看管人。只想管住自己的靈魂。當下世間，人們爭名於朝，爭利於市，騙子痞子橫行四野，物慾人慾到處奔流，做什麼壞事都是天經地義，我應當管好自己的靈魂，守住做人的邊界。我是誰？我是看管自己靈魂的人。這算角色嗎？這是拿得出手的名片嗎？我回答不出，唯有彷徨。

177 小女兒問：你寫《人論二十五種》？我屬哪一種？你屬哪一種？我說我在二十五種之外，屬於霧中人。時而腳踩大地，時而浮遊霧中。我看世界，常常如同霧中看花，料世界看我應如是，情與貌，略相似。地上的強者追逐桂冠、追逐名位、還追逐「轟動」，可我只能在雲霧中吶喊幾聲，矇矇朧朧，與愛我的同伴作個呼應，告訴他們：我還活着，我也有聲音。

178 從空中落到地上。如今地上到處是網絡。政治網絡、物慾網絡、人際網絡等。一進入網絡就不再是自己，一進入磨盤就跟着轉。既然是結構性的運轉，只有充當個乖巧的珠子才安全。文化大革命時，整個中國是個巨大的轉盤，個個都是轉盤中的珠子。我是誰？我是跟着轉的珠子。哪個珠子不跟着轉，哪個就要被淘汰，被挑進「歷史的垃圾堆」。

179 思想者是如此確定，又是如此不確定。說「我思，故我在」是對的，說「我思，故我不在」也是對的。我就生活在這對悖論中。只有思想時，我才存在。只有在自由表達時，我才存在。然而，我展開思考時，便被概念所主宰。時髦的語言和習慣的詞語把「我」綁架了，我不是我，我只是概念的俘虜與傳聲筒。

180 愛默生曾經如此自白：「我昨天不是笑就是哭，夜裏睡得像具死屍，今天早晨又站又跑，我會是別的什麼呢？……我可以用任何生物、任何事物的名字來象徵我的思想，因為每一種生物都是人的代表或感受者。」[4]也許和愛默生有同感，於是，問起「我是誰」，我便回答說：我是可能性。我是不確定的潛伏着多種可能的生命體、思想體。我讀書，但不能只讀人們規定的書；我思想，但不能按照人們規定的思想去思想。我超越他人也超越自己。當我的思想與情感達到高峰體驗時，我忘了我；當我與宇宙韻律同一節拍時，我不知道我是誰。所以我說，我思故我不在——我思故我無法確定我。

181 我最喜歡的人生格言是法國的思想家帕斯卡爾（一六二三至一六六二年）的這一段話：

4 〔美〕拉・沃・愛默生，佟孝功譯：《美的透視》（長沙：湖南文藝出版社，1988），頁165。

思想形成人的偉大。

人只不過是一根葦草，是自然界最脆弱的東西；但他是一根能思想的葦草。用不着整個宇宙都拿起武器來才能毀滅；一口氣、一滴水就足以致他死命了。然而，縱使宇宙毀滅了他，人卻仍然要比致他於死命的東西高貴得多；因為他知道自己要死亡，以及宇宙對他所具有的優勢，而宇宙對此卻是一無所知。

因而，我們全部的尊嚴就在於思想。正是由於它而不是由於我們所無法填充的空間和時間，我們才必須提高自己。因此，我們要好好地思想；這就是道德的原則。

思想——人的全部的尊嚴就在於思想。

人的偉大——我們對於人的靈魂具有一種如此偉大的觀念，以致我們不能忍受它受人蔑視，或不受別的靈魂尊敬；而人的全部的幸福就在這份尊敬。[5]

5 此段譯文採用郭宏安主編：《那天夜裏，我看見了巴黎——世界散文隨筆精品文庫·法國卷》（北京：中國社會科學出版社，1993），頁20。

帕斯卡爾的話是真理。我的人生的幸運就在於領悟了這一真理並把它鐫刻在心靈的深處。於是，我知道：因為我自由思想，所以我贏得人的全部尊嚴和全部價值。我是誰？我是會思想的一根葦草。

182 福柯在一九八二年這樣說：「或許，當前的目標並不在於發現我們是誰，而是拒絕我們是誰。」只要有權力關係，我們就有拒絕的可能與必要。龐大的權力關係每時每刻都在規定我們是誰。規定之後，便是支配與控制。在權力的牢籠中，我們被規定為機器、工具與奴僕，反抗這種規定，就會被指責為狂人、瘋子和異端。拒絕我們是誰，便是拒絕權力強加給我們的命名。拒絕，是對牢籠的衝破；拒絕，是主體的屹立和解放。

童心說

183 對着稿紙，我於朦朧中覺得自己書寫的並非文字，一格一格只是生命。錢穆先生把生命分解為身生命與心生命，我抒寫的正是倖存而再生的心生命。心生命的年齡可能很長，蘇格拉底與荷馬早就死了，但他們的心生命顯然還在我的血脈裏跳動着。此時許多魁梧的身軀還在行走、還在追逐，但心生命早已死了。都說靈魂比軀殼長久，可他們軀殼還在靈魂卻已經死亡。不是死在老年時代，而是死在青年時代。心靈的夭亡肉眼看不見。我分明感到自己的心生命還在。還在的明證是孩提時代的脾氣還在，那一雙在田野與草圃尋找青蛙與蜻蜓的好奇的眼睛還在。不錯，眼睛並未蒼老，直楞楞、滴溜溜地望着天空與大地，什麼都想看看，什麼都想知道，看了之後，該說就說，該笑就笑，該罵就罵，一聲聲依舊像故鄉林間的蟬鳴。無論是春的蟬鳴還是秋的蟬鳴，全是天籟。

184 我真幸運，和明代的異端思想家李卓吾竟是同鄉。他走過的許多開滿野薔薇與映山紅的鄉間小路，我都熟悉，都感到格外親切。他在流浪中飄落散失的基因說不定有幾粒潛入我的血液。要不我怎麼會那麼喜歡曹雪芹筆下那些自我放逐的「檻外人」？七十年代，當我窮得「囊無一錢守」的時候，還是買下他的《焚書》與《藏書》。他的《童心說》成了我人生的一部偉大的啟示錄。因為讀他的書，我才發現我的家鄉有一顆太陽般的迸射着思想的靈魂。這顆靈魂的名字就叫李卓吾。從少年時代到今天，我在冥冥之中一直聽到他從萬物之母的懷中發出的呼喚：同鄉兄弟，我的童心說獻給我的同一代人，也獻給你的同一代人，特別是要獻給你。你的生命快要被堆積如山的教條窒息了，你的天真快要被濃妝豔抹的語言埋葬了。你正在被概念所裹脅，正在邁向佈滿死魂靈的國度。救救你的天真，救救你的天籟！往回走，返回你的童心，返回你的質樸，返回清溪與嫩柳滋潤過你的搖籃。你是無神論者，雲中的天國不是你的歸宿，但地上的天國屬於你。地上的天國就是你的天籟世界，童心就是這天國的圖騰。

185

準確無誤，我聽到偉大同鄉的呼喚，如同天樂般清晰而響亮的野性呼喚：努力做一個人，努力成為你自己。家鄉的思想家在黑暗的年代裏像高舉星辰似地高舉過人類的本真本然之心。溫柔的、亮晶晶的心靈把擁有百萬大軍的龐大帝國嚇壞了。帝國的監獄在京城的郊區堵住他的嘴，困死了他的生命，妄圖一舉消滅他的熊熊燃燒的思想。然而，帝國失敗了。當帝國潰滅的時候，我老鄉的學說卻跨越時間的邊界走進曹雪芹的眼睛，還走到今天，一直走到我的筆下。

186 讓我禮讚你，《焚書》與《藏書》的作者，英勇的老鄉，童心說的第一小提琴手。你孜孜求真，厭惡「假人」和假人的把戲。假人胸中只有本能的心臟，沒有本真的心靈。假人有聲，但不是心聲，而是肉聲。道學太沉重，對人的要求太多，太多而做不到，就偽裝，就作假，就言假言，事假事，文假文。你發現王朝中有個假人國，你的童心對着假人國跳着、笑着、罵着，文字擺開堂堂之陣，正正之旗，旗幟站立着飄拂着，嘩啦啦在高空天宇中響動着，響了將近五百年。

堂堂正正。心中無邪，身外無求，形上無垢。頂天立地向着假人國挑戰：誰敢邀堂堂而擊正正？何等氣派！童心就是力量。童心是比權力帝國更有力量的力量。

187 回歸童心，你啟迪我兩個向度：一是回到從母腹中誕生下來的那一刻，回到剛降臨人間時那一脈黎明似的柔和的目光；二是回到故國文化的精神家鄉，回到《山海經》那一片藍蒼蒼與綠茫茫，還有蒼蒼茫茫所負載的最本真、最本然的故事。

我的形而上假設，不在天上，而在地上：在第一次張開的嬰兒眼睛之中，在母親賦予的原始混沌之中，在女媧、精衛、夸父等英雄的大氣與呆氣之中。修煉修煉，不是修向成熟，而是修向鴻蒙時代的勇敢與傻乎乎，知其不可為而為之。

188 詩正在被權力所凌辱，被道學所歪曲，被金錢所欺壓，被語言所遮蔽。文學正在失去真思真想真情真性，詩就要死了。面對文學的枯竭，誕生於家鄉的異端思想家大聲疾呼：回歸童心！胸中有如許無狀可怪之事，不妨痛痛快快地敘述；喉間有如許欲吐而不敢吐之物，不妨痛痛快快地傾吐；口頭有許多欲語而莫可以告語之處，不妨痛痛快快地說出。發狂大叫，流涕慟哭，向人世擲出響噹噹的真言真語真話。並非句句是真理，但句句發出熱騰騰的內心。

189 秘魯作家胡安・拉蒙・里維羅（一九二九—）如此表述：作家不可能成熟，他們應當永遠追隨孩子。「歲月使我們離開了童年，卻沒有硬把我們推向成熟。……說孩子們模仿成年人的遊戲，是不真實的：是成年在世界範圍內抄襲、重複、發展孩子們的遊戲。」[6] 我喜歡這句話，是因為我知道自己過去的所作所為和今後可能所作所為，全是人生的初稿。初稿而已，一切都不成熟。我害怕成熟的圓猾，成熟的虛偽，成熟的世故，成熟的「瞞和騙」。

6 引自朱景東編：《世界散文隨筆精品文庫・拉美卷》（北京：中國社會科學出版社，1993），頁221。

190 到處尋找天才，卻常常忘記身邊有一群天才，這就是孩子。「孩子是未被承認的天才」，俄國的詩人沃羅申（一八七七至一九三二年）早就這樣說。他在一九〇三年寫的一首無題詩常讓我吟誦：讓我們像孩子那樣逛逛世界／我們將愛上池藻的輕歌／還有以往世紀的濃烈／和刺鼻的知識的汁液／夢幻的神秘的吼叫／把當今的繁榮遮蓋／在平庸的灰暗的人群中間／孩子是未被承認的天才。[7] 孩子是天才，天才又都是孩子。「聖人皆孩兒」（《道德經》），天才更是皆孩兒。不錯，天才是永遠不知世故和拒絕世故的孩子。孩子的眼睛不被權力所遮蔽，也不被功名、財富所遮蔽，一眼就能看穿人間厚重的假面，所以是天才。

191 魯迅說王國維老實得像條火腿。二十世紀初期的先知型天才，卻像個傻子。王國維說，詩人乃是赤子。他自己正是個赤子，正是個嬰兒。他投進昆明湖，不是被歷史所拋棄，而是把歷史從自己的生命拋擲出去。嬰兒最傻，但感覺最靈敏。

192 上一個世紀之交的俄國詩人尼古拉·馬克西莫維奇·明斯基（一八五五至一九三七年）用他的詩表達了一種人生感受：給予辛勞不已的人生以安慰的，不是來自哲人的著作，不是來自詩人甜蜜的杜撰，不是來自戰士的赫赫功勳，也不

7 引自鄭體武譯：《俄國現代派詩選》，（上海：上海譯文出版社，1996），頁 208–209。

是來自禁慾者的苦苦修煉，而是來自美好生命的回歸：「心靈完成了一個偉大的循環／看，我又回到童年的夢幻。」[8] 在詩人生命的循環鏈中，晚年不是落入衰朽，而是與朝日般的童年重新相逢。在《遠遊歲月》中，我寫了「二度童年」，感受到的是，人可以有數度童年，可以有多次誕生。每一次誕生都會給生命帶來新的黎明與朝霞，新的生命廣度與厚度。每一次內心的裂變都給人帶來兩種方向，一種是走向衰老，一種是走向年輕。能夠走向童年，是幸福的人。在裂變中揚棄過去，告別主體中的黑暗，及時地推出一個再生的內宇宙。

193 人的最後一次誕生與死亡相接。然而，如果最後一次誕生是回歸童年，那麼，它首先是與兒時的搖籃相接。許多死者在臨終前看到兒時那個赤條條的自己，遙遠的過去的自己，而那正是詩人的未來。一個在世俗勢力包圍中的詩人，他所嚮往的未來，正是過去，正是幼年時代那個未被世俗灰塵所污染的生命的黎明。

194 流亡到美國的俄羅斯詩人布羅茨基說：詩天然與帝國對立。人類的童心也天然與帝國對立，尤其是與強大而不誠實的帝國對立。帝國的基石是權勢與權術。人間最無詩意的也正是權勢與權術。古羅馬帝國和希特拉的第三帝國，還有

8 引自鄭體武譯：《俄國現代派詩選》（上海：上海譯文出版社，1996），頁97–98。

史太林的革命大帝國，都已成了廢墟，但詩還在，人類的童心還在。詩與童心在人類行進史上至少已凱旋了三回。當第三大帝國進入墓地的時候，詩與童心卻依舊在大陸與大洋中吞吐着黎明。天下之至柔與天下之至堅的較量永遠不會停止，但勝利總是屬於至柔者，因為人類畢竟是熱愛詩意的棲居。

195 把呼喚生命之真的童心說視為異端，那是帝國的界定。知識的背後常常是權力。被視為異端的未必是邪說。所以我要像茨威格那樣呼籲：給異端以權利。哪怕你不同意異端的內涵，也該保衛異端的權利。靈魂的主權神聖不可侵犯。我常念着俄國思想者讚米亞亭的話：異端是人類思想之熵唯一的救藥。儘管這藥是苦澀的，但它對人類的健康是必須的。尤其是對於靈魂的健康。如果沒有異端，也應當創造出異端。然而，權勢者總是砍殺異端，連我的偉大同鄉李卓吾也給扼殺了。

196 童心並不只屬於童年。形而上意義的童心屬於一切年齡。我喜歡老頑童，他們至死還佈滿着生命的原始氣息。歌德到八十歲還熱烈地愛戀着。詩人的生命永遠處於戀愛中，永遠處於追求中。沒有戀情不會有詩情。廣義的詩歌都是戀歌，包括對山川土地藍天的眷念。道德家們只會對着歌德搖頭。搖動的眼睛看不見白髮覆蓋下那些活潑的精靈。詩人最可引以為自豪的，便是他永遠是個沙灘上拾貝殼的孩子，到老也帶着好奇的眼睛去尋找海的故事。癡癡地尋找着，以致忘了世俗世界的邏輯與秩序。

197 常常想起《末代皇帝》最後一幕：溥儀臨終前回到早已失去的皇宮。經歷過巨大滄桑之後的溥儀已經滿頭白髮，然而，他的童年卻在滄桑之後復活了。他最後一次來到無數眼睛羡慕的金鑾殿。此時，他沒有傷感，沒有失去帝國的悲哀，沒有李後主的流水落花春去也的慨嘆。他一步步走上階梯，走近皇座，然而，他不是在王座上眷戀當年的榮華富貴，而是俯身到皇座下去尋找他當年藏匿着的蟋蟀盒子。盒子還在，蟈蟈還蹦跳着，這是他一生中最美好的瞬間。一切都已灰飛煙滅，唯有這點童趣還活着。小盒子裏有蟈蟈，也有他自己。當別人在欣賞皇宮皇冠的時候，他，皇帝本人，卻惦記着大自然母親給予他的天真。這活生生蹦跳着的蟋蟀比鑲滿珍珠的皇冠還美，一切都是幻象，唯有孩提時代的天趣是真實的。人生要終結了，一個帝國的皇帝最後的夢想不在天堂，而在藏匿於皇座下的蟋蟀盒子。小小的蟋蟀盒子，拆解了世俗世界的金字塔，拆解了權力與財富的全部榮耀。

198 秦王朝的丞相李斯，原是上蔡的普通百姓，後來卻登上朝廷的尖頂，擁有天子之下最大的權力與榮耀。他自己身居相位，而幾個兒子也跟着無比顯赫，並且都娶秦公主為妻。當了三川郡守的大兒子回家省親時，他大擺酒宴，朝廷百官爭先朝賀，停在門前的車架有千數之多。可是，在政治較量中，他因為敗給趙高而落得腰斬咸陽，死得很慘。臨死之前，埋藏在他記憶深處的天真突然醒來，他對兒子說：我想跟你再牽着那條黃狗，同出蔡東門去追野兔，還能辦到嗎？他在人生的最後瞬間，才發現生命的歡樂並不在權勢的頂峰上，而是在大自然的自由懷抱之中。陪伴皇帝在宮廷裏用盡心機，不如陪伴着狗在原野上追逐野兔。李斯在死亡時刻，突然意識到生命最後的實在，可惜已經為時太晚。

199 豐子愷一輩子研究孩子，他說孩子的眼光是直線的，不會拐彎。藝術家的眼光如同孩子，但需要有一點彎曲。孩子眼裏直射的光芒能穿透一切，包括銅牆鐵壁。什麼也瞞不住孩子的眼睛。安徒生筆下的孩子眼睛最明亮，唯有他，能看穿又敢道破皇帝的新衣乃是無，乃是空，乃是騙子的把戲。王公、貴族、學者、論客、將軍、官僚，眼睛都瞎了，裝瞎也是瞎。孩子在瞎子國裏穿行，孩子在撒謊國裏穿行，像太陽似的照着瞞和騙。一旦發現瞞與騙，孩子的眼睛鼓得圓滾滾，然後發呆，然後迷惘，然後驚叫，然後吶喊。我們要給孩子的眼睛以最深刻的信任。

200 賈寶玉含着那一塊通靈寶玉和帶着女媧時代那一雙原始的眼睛來到人間了。寶石亮晶晶，眼睛亮晶晶，於是，眼睛看見朱門玉宇下生命一個一個死亡，鍾靈毓秀一片一片破碎。那些最真最美的生命與權貴社會最不相宜，死得也最早。世界的老花眼，怎麼也看不慣晴雯和林黛玉。

無端的摧殘，無聲的吞食，賈寶玉看見了；情的慘劇，愛的毀滅，賈寶玉看見了。世人的眼睛看見金滿箱，銀滿箱，帛滿箱；寶玉的眼睛卻看見白茫茫，空蕩蕩，血淋淋。寶玉的眼睛直楞楞，滿眼是大迷惘，滿目是大荒涼。賈寶玉其實是個永遠不開竅的混沌孩子。

201

一直記得英國作家赫胥黎（Aldous Huxley）的大困惑和他對世界所發出的提問：為什麼？為什麼人類的年齡在延長，而少男少女們的心靈卻提前硬化？為什麼？為什麼那麼多少男少女剛走出校門，心理就已僵冷？為什麼？為什麼那麼多年輕的孩子在動脈硬化前四十年，身心就麻木？這是為什麼？為什麼人類尚未蒼老就失落了那一顆最可愛的童心？赫胥黎面對着的是人類生命史上最大的困惑。他寫着寫着，寫了《滑稽環舞》，寫了《知覺之扉》，還寫了《美麗新世界》，什麼是美麗新世界？那是少男少女及整個人類的童心不再硬化的世界，那是童心穿過童年、少年、青年時代而一直跳動到老年時代的世界。人們只想到動脈硬化、血管硬化，有多少人想到童心硬化、青春硬化、靈魂硬化呢？「童心不再硬化」，變成詩人的夢與呼告。讓我們回應這詩的呼告。

202

十八世紀思想啟蒙家盧梭發出警告：人類正在提前墮落，青春期野蠻而殘酷。青春生命本是最慷慨和最善良的生命，他們既最愛別人，也最讓別人愛。然而，青春王國正在崩潰，青春的眼睛變得陰冷，瞳仁裏散發着寒氣。二十世紀戈爾丁通過他的《蠅王》再次警告：世界正在失去偉大的孩提王國。一旦失去這一王國，那是真正的沉淪。然而，人類忽略了盧梭與戈爾丁的警告。所以此刻我們不得不又敲響警鐘：人類的童年正在縮短。不僅槍械、毒品入侵了孩提王國，而且堂皇的「科技」也在吞沒人生的黎明，孩子已變成電腦的附件和電視屏幕的隨從。二十世紀的孩子們，贏得了機器，卻失去了星辰、月亮、山脈、河流和整個大自然。

203

莫言的《酒國》裏有一種嬰兒的宴席。酒國的名菜是孩子肉製成的「紅燒餐」。肉裏伴着許多令人心醉的香料。香噴噴的嬰兒肉使酒國金滿天下銀滿天下譽滿天下。這個酒肉泛濫的城市，公民們培育嬰兒，然後拍賣嬰兒，然後殺戮嬰兒，然後烹飪嬰兒和燒烤嬰兒，然後製造具有酒國特色但沒有血色也沒有血痕的嬰兒盛宴。來自四面八方的高等食客們品嚐着嬰兒肉，唱着醉醺醺的酒歌。歌聲裏帶着人肉味。醉着的歌者不知道是嬰兒肉，法律上沒有罪。所謂懺悔意識，就是要他們知道自己無意中進入共犯結構，進入吞食嬰兒的筵席，在良心上應有罪的感悟。

204 孩子無需包裝，孩子無需面具。我喜歡金庸《射鵰英雄傳》中的老頑童周伯通，永遠不知人間勢利的老孩子。他拾到一個面具，像拾到一個玩物，高興極了。他不知道面具是什麼，只覺得好玩，人的臉面還需要遮攔，好玩；人的真相還需要掩蓋，好玩。面具是人的異化物，它對於老頑童永遠是陌生的，奇異的。他不知道，人間已佈滿面具，連龐大的學說也成了面具。沒有面具就不能存活，在政治塔尖上左右逢源的風流人物，至少有一百副面具。可惜中國的周伯通快滅絕了。想了好久，想不出幾個老頑童的名字。

205 「揭穿假面具是最痛快的事情！」這是瞿秋白臨終前的精彩話語。瞿秋白在生命最後的時刻，完全是一個天真的孩子，他坦白說：「我始終戴着假面具。我早已說過，揭穿假面具是最痛快的事情，不但對於動手去揭穿別人的痛快，就是對於被揭穿也很痛快，尤其是自己能夠揭穿。現在我丟掉了最後一層面具，你們應當祝賀我！」應當祝賀你，從赤都回到赤子之鄉的瞿秋白！你在一個充滿包裝、充滿面具的國度裏喊出「揭穿假面具」的赤子之聲，並贏得赤子無所遮攔、無所顧忌的大快樂。你生命最後的瞬間是真實也是美麗的。

206 在波羅的海寧靜的水濱，站立着安徒生的美人魚，在風濤中凝固的故事與雕塑。兩度和她見面，每一次都是生命的重新相逢，每一次我都呆呆地凝望着她。我知道自己生命中最隱秘的內核與她相通，這內核，便是對愛的期待，一切悵惘都因為愛的失落。面對着她，我還想到民族的脾氣與性格。一個名字叫做丹麥的國家，竟然以童話中的美人魚作為民族的圖騰，不怕人們說它幼稚。這樣的國家是幸運的，它將永遠擁有夢與天真。難怪哥本哈根這樣甜這樣浪漫。我的故國太老成了，它早已遠離童話。高掛的圖騰，曾是孔夫子，曾是諸葛亮，雖是聖人與英雄，但缺少天真。我更喜歡美人魚，更喜歡緊連遼闊滄海的童話。

207 回歸童心，這是我人生最大的凱旋。

當往昔的田疇碧野重新進入我的心胸，當母親給我的最簡單的瞳仁重新進入我的眼眶，當人間的黑白不在我面前繼續顛倒，我便意識到人性的勝利。這是我的人性，被高深的智者視為淺薄的人性，被淺薄的俗人視為高深的人性。此刻我在孩子的「無知」中沉醉：不知得失，不知輸贏，不知算計。大地的廣闊與乾淨，天空的清新與博大，超驗的神秘與永恆，還有那個沒有任何歸屬的自己，這一切，又重新屬於我。凱旋是對生命之真和世界之真的重新擁有。凱旋門上有孩子的圖騰：赤條條的渾身散發着鄉野氣息的孩子，直楞楞的張着眼睛面對人間大困境的孩子。

208 史匹堡（Steven Spielberg）製作的電影《太陽帝國》是我最喜愛的影片之一。每次看完之後，都忘不了男主角，那個英國孩子 Jim。總是忘不了那雙迷惘的、困惑的、發呆的眼睛，那雙在戰爭結束後垂掛在肩頭上和黑髮間裏絕望的眼睛。

Jim用孩子的眼睛看戰爭，看到的不是正義與非正義，而是整個世界的不幸，戰爭雙方都不幸，失敗者不幸，勝利者也不幸。而他自己，一個孩子，在戰爭中不僅失去雙親，失去歡樂，而是失去全部生活。戰爭中的世界沒有路，戰鬥不得，逃亡不得，連投降也沒人接受。他從小就做着在藍天裏飛行的夢，也被戰爭粉碎，儘管空中到處都是飛機。戰爭製造了大地的廢墟，也製造了心靈的廢墟。戰後的Jim，只剩下一雙無言的、發呆的眼睛。眼裏只剩下一片白茫茫。

209

孩子的眼裏沒有敵人也沒有壞人。唯有孩子真的相信「四海之內皆兄弟」，敵對的雙方都是兄弟。然而，戰爭卻在孩子眼裏展示出比野獸還凶狠的廝殺。Jim不知道這是為什麼？在太陽帝國日本的一方，有讓他恐懼和憎惡的戰神，也有救援他的、和他一樣只做着飛行夢的年少朋友。但是朋友又慘死在密集的槍口下。朋友的鮮血染紅了太陽。夢破碎了，戰爭的神話破碎了，唯有死亡是真實的。唯有孩子的眼睛看清了真實，看清了戰爭乃是藍空下的一片血淋淋。

210

看了史匹堡導演的《ET外星人》，便知道最能與陌生的大宇宙相通的是孩子。孩子的心靈如同音樂，能破語言之隔，直達天際。人類對假設的外星人充滿恐懼，只有孩子對他們沒有防範。孩子心中沒有碉堡，沒有設防。人類通往地球之外的智能生物世界的唯一使者是兒童。兒童的目光，是投向天外的曙光。天使在哪裏？天使就在身邊。天使就在你的屋裏。

211 成年人喜歡尋找神世界，希望神能幫助自己進入不朽不滅的永恆。孩子則喜歡鬼世界。鬼很醜，但活潑、真實、沒有架子。孩子沒有力量，但也沒有邪惡，所以他們不怕鬼。如果真有鬼世界，孩子也能和鬼對話。美國的鬼節，其實就是兒童節。

212 如果說「從一粒沙可看出一個世界」這句話還有些誇張的話，那麼，說「從一顆童心可以看清一個民族」就絕無誇大。童心這面鏡子才足以照明世界是否衰老。在將死而未死的世界，童心總是彷徨無地。如果童心渴望逃亡，那一定是世界太世故、太蒼老了。

213 讓人間的暴君最感到頭疼的是提問。孩子最喜歡提問，孩子的天性就是提問，《一萬個為什麼》是孩子們最喜歡的書。一萬個提問之外還有最簡單的提問，這也使暴君感到恐懼：你為什麼殺人？你殺了人之後為什麼不承認殺人？這是最簡單的屬於孩子的問題。孩子的天性並不排斥自己的回答。孩子往往能回答學問家無法回答的問題。「暴君三餐的食物就是人。」孩子可能這樣回答，簡單而明瞭。

214 薩特説，他永遠希望着，但不打擾別人的希望。我設計不了希望工程，但我可以護衛孩子的希望視野，如果讓孩子們看到，前輩用功讀書、勤奮工作最後的結果是走進牛棚和精神裁判所，這就摧毀了孩子的希望視野。也無所謂希望工程。希望工程不是金錢累積的，它是從兒童時代開始展示的前方景觀。希望視野如此預告：未來的美好世界是為誠實的孩子準備着的。

215 尼采説人生必經駱駝階段、獅子階段和嬰兒階段。最後是嬰兒階段，我彷彿正在經歷這一生命的第三旅程。嬰兒不是長不大的生命，而是嶄新的心靈存在。在第三旅程中，我所作的是「反向努力」，不是朝前征戰，而是向後回歸。駱駝把自由化作沉重的責任，背着責任跋涉沙漠。之後，便如獅子去爭取自由，為自由而戰鬥得遍體鱗傷。這之後，便是反向回歸，努力創造一個嬰兒般的佈滿黎明氣息的新的生命本體。

216 應當救救自己。全部感覺都被改造過了，連眼睛也麻木，連手腳也僵硬，連哭泣也有點走樣。全部理念都被冰凍過，同化過，連反教條的文字也帶着教條的尾巴。我知道我是我自己最後的地獄，黑暗聚集在地獄裏。帶着這沉重的地獄，怎麼去救孩子，難道要裹脅孩子一起入地獄？明白之後，只想救救自己，只想孩子救救我。

217 童心像天天的日出，天天都有光明的提醒：不要忘記你從哪裏來，不要忘記那個赤條條的自己。你不是功名的人質，慾望的俘虜；你不是機器的附件，廣告的奴隸；你不是權力的花瓶，皇帝的臣子。你是你自己，你賦予自己成為自己的全部可能。你是山明水秀大地懷抱中的農家子。與高山、流水、田野，還有山花山樹山鷹關係的總和，那才是你。

218 眼睛的進化是從畜的眼睛和獸的眼睛進化成人的眼睛，並非是從兒童的眼睛進化成老人的眼睛。努力保持一雙孩子的眼睛，並非退化。孩子眼睛的早熟，使人悲哀。當我看到孩子疲倦的眼神時，總是驚訝，而看到他們的蒼老世故的眼神時，更是感到恐懼。我喜歡看到老人像孩子，害怕看到孩子像老人。

219 俗氣覆蓋一切的人間找不到一塊可以存放心靈的淨土。眼淚是為無辜的孩子流的，但無處存放；憂傷是為潔白的生命燃燒的，但無處存放；吶喊是為冤屈的靈魂叫響的，但無處存放。

220 聶紺弩在贈予我的詩中，把我比作哪吒，蓮花的化身。這一比喻是人間給予我的最高獎賞，我再也不需要別的獎賞了。自從這一首贈詩出現之後，我的生活便有了路標：往蓮花的方向走去，用生命的事實抹掉比喻，讓自己真的成為濁水難以染污的蓮荷，然後腳踩雙輪馳騁於高遠的藍天和平實的大地，切不可在精神雪崩的時代裏，讓天賦的品格與靈魂崩塌者同歸於盡。

221 常常在書桌旁坐不住。窗外是金色的秋天，九月的菊花開得那麼動人，白樺樹上的每一片葉子都像孩子好奇的眼睛。五十歲之後，我每天都伴隨着小花小草小樹生活，稿紙上的每一個格子都被花木的芳香所浸潤。能生活在這些大自然的嬰兒群中真是幸福。我和小花小草都是大自然的孩子，都生活在莊子的《齊物論》中。平等的世界，哲人的烏托邦，就在眼前最平常的園地裏。

222 人類偉大的母親，無論是西方的夏娃，還是東方的女媧，都是赤條條的，她們美麗得無須任何裝飾。她們的生命永恆地靜止在青年時代，我從未見過她們蒼老的臉孔。既然原始母親如此年青，那麼，我自然可以永遠是個孩子，如果額頭上長出了皺紋，軀體內也該有一雙孩子的眼睛。

223 人類下體的遮羞物愈來愈精緻。開始是樹葉子，以後是麻布，現在則是綢緞，金環、玉飾，還有名號、地位、桂冠，而最精緻的遮羞布則是稱作「主義」的各種學說體系。有個龐大的遮羞物，蒼白、貧乏、專橫都不要緊。遮羞物的進化是人類進化的一節故事。我喜歡孩子，孩子不需要遮羞布，他們身上的一切都很美，連撒尿也是美的。我就看過許多孩子撒尿的雕塑，精彩得很。

224 謀殺生命的兇手也許可以找到，但謀殺天真的兇手永遠找不到。人類正在用自己發明的電腦、電視、計算機、香煙、書籍謀殺孩子的天真，剝奪孩子的童年，但人們看不到兇手，看不到無罪的罪人。也許，某些時候，我也是謀殺孩子的「共謀」，只是自己不知道。

225 在美國中學校園的草地上，我看到金髮少女們在抽煙。煙霧瀰漫着，我看到「霧中人」的眼睛非常蒼老而且充滿倦意。老師只管傳授知識，並不留意孩子的眼睛和瀰漫的煙霧。美國的學校非常自由。自由帶給學生許多快樂，但自由的濫用也搶走了少年眼睛中黎明的亮光。我害怕，害怕看到孩子眼睛裏的黃昏景象。

226 我所居住的城市 Boulder，發生過一件謀殺女孩的著名案件。電視屏幕上常常出現這個被謀殺的小姑娘美麗的頭像。面對照片，我感到雙重震驚：天底下竟然有人忍心謀殺這樣的孩子。這孩子的眼睛竟然如此成熟，成熟得像她母親，成熟得彷彿早已看透這個將要謀殺她的世界。這副眼睛傳達給我的信息是：她的眼睛沒有童年，在她的整個生命被剝奪之前，她生命中的一個部分，生命的天真，早已經被剝奪。

227 回到童年，回到割草砍柴的山崗，回到長滿青苔也佈滿幻想的大榕樹下。想着想着，覺得自己真的實現了一種夢，真的步入了人類思想的山峰，真的在那裏漫遊，真的在那裏吸取芬芳。當年採掇映山紅的時候，我只想到以後要在另一些山脈裏遨遊，沒想到竟然來到這樣的山巒，竟然可以採掇人類思想的鮮花嘉卉。這是多麼好的人生，想到這裏，我對一切都不抱怨。

228 當年青詩人海子自殺的時候，我覺得自己比誰都要更理解海子。海子即孩子。他太單純，與一個佈滿世故佈滿心機的世界完全不相宜。在需要生存策略的時代裏，海子的心靈註定束手無策。與其被時代窒息而死，還不如自我了斷。忘記是誰說的話：要抹去孩子眼中的淚水，霪雨灑在蓓蕾上是有害的。只能熱愛孩子並用整個身心護衞孩子的世界，不能愛那個踐踏孩子的世界。我常用卡繆《鼠疫》裏那個醫生表明自己心跡的話：「我至死都拒絕那個讓孩子們受到折磨的世界。」

229 一個民族最隱秘的心靈，很難通過書本去尋找，也無法從外部世界去觀察，但可以從孩子的眼睛裏看到一切。五四運動時，文化先驅者們發現中國孩子照片上的眼睛是呆滯的，沒有光彩。這一發現使他們把拯救孩子的聲音喊得更加響亮。今天，我雖看到孩子的眼睛不再呆滯，然而，卻看到孩子眼光成熟得太早，甚至已帶上成年人的狡黠。我害怕看到孩子眼睛裏也繃着一根弦，比當年魯迅看到閏土眼裏的麻木還要震撼。

230 爭取人的權利，首先應是爭取孩子的權利。而對於我來說，首先是爭取童心自由的權利，這一權利就如安徒生筆下那個孩子：可以道破皇帝新衣乃是騙局的權利，以及道破之後不受皇帝制裁的權利。對於我，靈魂的主權就是像孩子那樣直言直説，即童言無忌的權利。

231 羅曼·羅蘭筆下的約翰·克里斯朵夫剛誕生時，他的母親就對他說了一句話：「你多麼醜，我又多麼愛你。」不管孩子有多少缺陷，但對孩子的信賴不可改變：開始於生命的第一頁，而無最後一頁。

232 看到世界被無孔不入的市場所充塞，看到人間佈滿市場氣、市儈氣，更明白所謂童心，乃是在算計性空氣的包圍中仍然拒絕算計、拒絕世故的自由存在。

233

孩子的眼光是筆直的，但沒有攻擊性。
孩子的眼光是熾熱的，但沒有燒傷力。
孩子的眼光是柔和的，但沒有鄙俗氣。

234

孩子的眼睛穿透不了目的，常常只看到手段，殘暴的手段總是使他們驚恐尖叫，不管目標多麼神聖，一看到手段的血腥，他們就尖叫。在孩子的心目中，手段重於目的。成年人的眼睛看到偉大的藍圖，還用藍圖來掩飾手段的黑暗。孩子的眼睛比成人的眼睛更可靠。

235

哲學家們批判本質主義，發現了人文宇宙相對論，給人們的思想注入了活水，莊子的齊物論，也是反本質主義的相對論，其思想光輝早在兩千年前就映照天地。然而，當下哲學家走火入魔之後卻把價值撕成碎片，所有的文化都變成了碎片文化。於是，人間便找不到完整的心靈，也找不到童心。童心也被解構。如此以往，將來的世界就不是孩子的世界，而是痞子的世界。

236

印度的甘地從未被中國所接受，但泰戈爾卻征服了中國，這種征服，不是恥辱，而是童心的凱旋。它向中國展示着希望：古老的大地仍然有童心生長的土壤，擁抱童心的讀者仍然很多。其實甘地也有童心，他的童心深藏在他的非暴力的境界裏。他和托爾斯泰心靈相通，與強權抗衡時完全像一個執拗的孩子。

237 孩子最容易讓人看到希望，也最容易讓人感到絕望。六七十年代，我看到身穿軍裝的中學生抽打老師，看到他們的眼裏發出一種近乎狼的目光，看到他們從早晨到黃昏去捕獵可憐的詩人與作家，而且還聽到他們不停地宣佈要把人踩上一萬隻腳，叫他永世不得翻身，這個時候，我唯一的感覺，就是絕望。

238 孩子正在變壞，孩子也佈滿殺氣，魯迅在《孤獨者》中寫道：「一個很小的小孩，拿了一片蘆葦指着我道：殺！」魯迅不幸言中了。他所寫的「一個很小的小孩」在四十年之後，變成千百萬個嗜殺的小孩，這些紅孩兒被命名為紅衛兵。他們的全部本質只有一個字：「殺！」戰歌也是「殺殺殺，殺出一片新天地。」到了美國之後，則看到孩子不僅在喊「殺」，而且真的開槍殺了自己的老師與同學。看到流淌的血，我想到斯賓格勒，他警告說，性、吸毒和暴力，正在進入少年共和國，它將導致西方的沒落。可惜西方聽不進他的警告。

239 祥林嫂唯一的孩子被狼叼走了（《祝福》）；寡婦單四嫂子唯一的孩子被江湖醫生用「保嬰活命丸」治死了（《明天》）；華老栓唯一的兒子華小栓吃了人血饅頭後昏沉沉地死了（《藥》）。唯一的孩子死了，獨一無二的希望死了。希望一旦死得乾淨，連「唯一」的希望也死亡，留下的便是地獄。但丁在地獄門口看到那些的告示說：到了這裏，請放下一切希望。

240 魯迅《鑄劍》中的小主人公眉間尺從孩子變成大人，其成熟的標誌是復仇理念的覺醒。一旦被母親提醒，就義無反顧地踏上復仇之路，而且為復仇毫不猶豫地削下自己的頭顱。一個徹底復仇者是不考慮任何代價的，也不考慮輸贏，只想消滅對方。眉間尺固然勇敢，但他對仇恨的敏感也讓我恐懼。倒是余華《血劍梅花》中的少年阮海闊讓我的靈魂得到喘息。阮氏少年，是另一個眉間尺，但這是一個失去仇恨意識的眉間尺，一個模糊了「敵人」概念的眉間尺，一個不再為父輩的亡靈拋頭顱灑熱血的眉間尺。

241 魯迅在《狂人日記》中讓狂人告訴人們：中國人既被吃也吃人，狂人也吃過妹妹的肉。妹妹是孩子，唯有孩子還沒吃過人。魯迅呼籲「救救孩子」，就是讓未曾吃過人的孩子從此退出吃人的歷史，退出吃人的結構，退出吃人的大循環。

242 人類的眼睛正在伸延，正在穿越太陽系，伸向宇宙的黑洞和黑洞外的無邊無際的星雲星海。然而，人類常常看不清眼下的孩子的屍首。有一些人看清了，另有一些人想挖掉看清者的眼睛，所以眼下紅的血比天外黑的洞還要模糊不清。

243 與動物相比，人類有一偉大處常被忽略：它不像動物那樣註定要走向腐朽——即使是獅子，也難逃愈老愈腐朽的宿命。人類可以在走向腐朽與走向再生的歧路上選擇。當飄忽的白髮在頭上預告生命衰老的時候，他們可能轉向新生，即以孩子為導師，重新贏得孩提王國的心靈狀態，再次讓佈滿早晨氣息的天真，像旭日從自己的身體地平面上第二次升起，從而遠離動物式的潰敗。決定一切的不是年齡的多寡，而是心靈狀態。無論歲月如何變遷，我的母親永遠是二十五歲，永遠是我孩童時期看到的那個年青的、秀麗的母親，她像星星一樣永遠不會衰老。母親的情懷是我心靈的搖籃，所以我的心靈也不會衰老。如果不是母親的眼淚對我性格的軟化，如果不是兩個女兒的微笑對我心腸的淨化，我可能也會變為蒼老的、冰冷的石頭。

244

世紀初的俄國詩人安年斯基（一八五八至一九〇九）這樣為孩子請命：「你們找我？我已做好準備。他們做了壞事，我們承當。給我們——監牢，但給他們——鮮花……給我們的孩子，人們啊——太陽！」他還接着請命說：「孩提時代的生命線更為纖細，這個年齡的時光更為短暫……請不要急於責罵他們，而要不失體面地嬌慣。」「假如你們不理解孩子的／低聲抱怨——這是不幸，／讓孩子低聲說話——這是恥辱，最苦莫過——讓孩子戰戰兢兢。」[9] 詩人期待天下的父母都有一副可靠的肩膀，如同天然的屏障，能為孩子承擔苦難與「罪責」，也為他們擋住

---

9 引自鄭體武譯：《俄國現代派詩選》（上海：上海譯文出版社，1996），頁309–310。

一切恐懼與驚慌，讓他們免於恐懼，讓他們自由地撒嬌，大聲地叫嚷，讓他們的脊骨正常而正直地生長。這是我們的天職。

245 金庸小說世界是個童心建構的世界。我喜歡這個世界裏的理想人物郭靖，他永遠帶有孩子般的呆傻，不知道「金刀駙馬」的價值。當貴族子弟們瘋狂地追求駙馬的桂冠時，他完全不知道這頂桂冠是什麼東西。呆呆的，癡癡的，直到他擁有「降龍十八掌」最高強的武藝時，仍然是個孩子。他修煉修到最高境界時，便是修到保住兒時的那一點呆傻。大智若傻的孩子最有力量。孩子可以拆解權力。《射鵰英雄傳》是一個童心拆解權力的故事，《鹿鼎記》也是一個童心拆解權力的故事。只是後者更複雜。

246 老子在《道德經》中呼籲「復歸於嬰兒」，不知拯救了多少靈魂？老子之後兩千多年，曹雪芹在《紅樓夢》中又塑造了一個富貴嬰兒，這就是賈寶玉。這個嬰兒在今後的長歲月中又不知要啟迪多少心靈，賈寶玉作為永遠的嬰兒，他的心靈是個嬰兒宇宙。這個宇宙無邊無際，兼容兼愛兼美兼收萬物萬有，卻沒有半點污泥濁水，更沒有嫉妒、仇恨等人性渣滓。這個嬰兒宇宙，是人間最美的生命景觀。

247 生命需要氛圍，我喜歡生活在大自然的氛圍中，也喜歡生活在書本的氛圍中，尤其喜歡生活在孩子們天真的空氣中。當孩子的晴光暖翠照耀的時候，我彷彿從冬眠中蘇醒，人間的寒冷立即就會消失。每個孩子都是太陽，它能化解把人類引向墳墓的朽氣。因此，呼喚「救救孩子」時，也該呼喚「孩子救救我」。

248 閱讀《幻想的詩學》（法國加斯東·巴什拉著）時，才知道比利時作家弗朗茲·海倫斯有一精彩思想：人的植物性力量存在於童年之中，這種力量會在我們的身心中持續一生。我雖不完全了解海倫斯的「植物性」內涵，但知道植物永遠平實與清新，它沒有動物的野蠻、凶猛和吞食他者的原始慾望。它是植根於大地，並和大地連成一體的沒有侵略性和攻擊性的力量，是天然而經久不衰地播放着花葉芳香的力量。人一旦喪失天真，便是喪失植物性。一個只有動物性而沒有植物性的人，不是一匹狼便是一匹狐狸。

寫給思想者與童心作家的致敬語

249 羅曼・羅蘭，謝謝你，謝謝你讀出了托爾斯泰的童心：「《戰爭與和平》的最大魅力，尤其在於它年青的心，托爾斯泰更無別的作品較本書更富於童心的了，每顆童心都如泉水一般明淨；如莫札特的旋律般婉轉動人，例如年輕的尼古拉、洛斯多夫、索尼亞和可憐的小貝蒂亞。……最秀美的當推娜太夏（中譯本《戰爭與和平》譯為娜塔莎）。可愛的小女子神怪不測，嬌態可掬，有易於愛戀的心，我們看她長大，明瞭她的一生，對她抱着對姐妹般貞潔的温情——誰不曾認識她呢？美妙的春夜，娜太夏在月光中，憑欄幻夢熱情地說話，隔着一層樓，安特萊傾聽着她……初舞的情緒，戀愛，愛的期待，無窮的慾念與美夢，黑夜，在映着神怪之火光的積雪林中滑冰。大自然的迷人的温柔吸引着你。劇院中的肉體的狂亂洗濯靈魂的痛苦，監護着垂死的愛人的神聖的憐憫……」[10]

250 托爾斯泰，我的太陽。我真喜歡你晚年孩子般的啼哭，你受不了人間的貧窮、苦難、奴隸般的生活。你像孩子那樣推開擺在桌子的肉和米粉團子，「他們在受苦，我們卻在吃肉」，你吼叫着，吵鬧着。你用孩子的執拗拒絕，什麼堂皇的理由都被你撕成

---

10 引自〔法〕羅曼・羅蘭，傅雷譯：《托爾斯泰傳》（北京：商務印書館，1995），頁46。

碎片。可惜你死得太早。要是再活三四十年該多好啊，我一定能聽到你詛咒世界戰爭的天真而莊嚴的聲音，世間的花言巧語多麼需要你的駁斥。

251 謝謝你，偉大的曹雪芹，我心中的另一個太陽。謝謝你賦予我一個偉大的禮物：一個永恆的家園，一個不朽的故鄉。這裏的土地被你十年的眼淚所浸泡，這裏集合着美貌與心靈都精彩絕倫的兄弟姐妹，這裏跳動着一顆名叫「寶玉」的真情真性的心。我的不朽的家園還沒有問世，我會怎樣的寂寞？我的精神之戀該何處尋找依託？怕只能以寂寥對着寂寥，以空漠對着空漠。

賈寶玉的人格心靈何等可愛。在濁水橫流的昔時中國，在朽氣充塞的豪門府第，他的出現，就像盤古剛剛開天的第一個早晨出現的嬰兒，給人完全清新的感覺。他的眼睛是創世紀第一個黎明的眼睛，與世俗的眼睛全然不同。這雙眼睛所看輕的正是世俗眼睛所看重的；這雙眼睛所看重的正是被世俗眼睛所看輕的。於是，這雙眼睛迷惘了，最後消失在白雲深處。

252 向你致意，幽默大家吳承恩。感謝你獻給我一個孫悟空，一個淘氣的精靈，一顆頑皮而英勇的童心。孫悟空是舉世無雙的英雄，又是渾身活潑的孩子。沒有慾望，沒有心機，沒有猜忌，沒有野心，即使在與天兵天將的鏖戰中也不失幽默與天真。超越所有的權威與教條，蔑視天宮天庭的名義，卻敬服師父唐僧的慈悲慈祥。童心不是幼稚，童心是不屈不撓、不死不滅的正義的精靈。

孫悟空，我真喜歡你的眼睛。你的眼睛在太上老君的煉丹爐裏燒掉了一切雜質，卻留下孩子的瞳仁。孩子的眼睛是千里眼，雲遮霧障，喬裝打扮，你都能把它看穿。豬八戒的眼睛是混濁的，世俗的利益把它攪混。英雄而有赤子之心，大聖而有孩子正直的眼睛，天馬行空而不失天真爛漫，這是怎樣的美，怎樣的好，怎樣的動人心魄！

253

你好，偉大的安徒生。那年我到哥本哈根，到處尋找你的蹤跡。我知道你喜歡去哥本哈根的大街小巷漫步，監獄、濟貧院、城牆、花園，都全變成你的童話王國。那天我瘋了，到處尋找夜鶯、醜小鴨、老房子、天鵝巢、單身漢的睡帽、老樹樹的夢、墓裏的孩子、妖山、紅鞋、冰姑娘、世界上最美麗的一朵玫瑰⋯⋯這全是我少年時的夢，全是我的故鄉。那天我想起了博爾赫斯，他臨終時就想到日內瓦，那是他最後的鄉戀。我到了這裏，才知道我曾有過錐心的鄉愁，渴念的正是你創造的兒童國。

那個衣不遮體的賣火柴的小姑娘，曾經在哪條小胡同裏叫賣？我十二歲的時候就開始唸她了，她是在離暖和的火爐、離聖誕樹、離烤鴨只有幾步遠的地方死去的。在劃亮最後一根火柴的時候，她彷彿覺得，死去的祖母把她帶到天國裏去了，可是，這只是幻想。偉大的安徒生，謝謝你，那麼早就送給我這個賣火柴的小姑娘，這個不幸的孩子是人類給我孩提時代的饋贈，有這個小姑娘在心裏，我就知道暖和的火爐、烤鴨、聖誕樹離窮孩子那麼近，但不屬於她。那麼近，又那麼遠，相隔幾步路，卻相隔幾重山海。你讓我看到這個距離，讓我知道怎麼為消除這個距離而生活。

254

還有那位母親。死神奪去她唯一的孩子，她在黑夜中冒着風雪去尋找。為了問路，她把一雙眼睛交給了湖泊，用和暖的胸脯去救治凍死的荊棘，最後又用一頭黑髮向魔力花園的看門老太婆換了一頭蒼老的白髮。為了孩子，母親把什麼都奉獻了。安徒生，母親的偉大是你教導給我的，我的「慈母頌」的靈感是你賦予的。在階級鬥爭的混亂歲月裏，我一直愛着天下所有的母親，包括被稱為「黑五類」的母親，就因為你的偉大的靈魂，早就在我的心坎裏播下這個故事。

255

杜斯托也夫斯基，我向你致意。在我生活的年月裏，我找不到一個像你和托爾斯泰這麼偉大的人。沒有一個人像你這樣對真理如此渴望。神是不是存在？基督之深、之美、之愛，是不是真理的終極？人類是不是在不自然的狀況下被創造出來的？倘若是，這個創造者是誰？你像孩子不斷發問，「一邊呻吟，一邊探索人生」。謝謝你，謝謝你幫助我知道，生命固然重要，但不僅要渴望生命，而且要渴望生命的意義，我們不必把生命視為重擔，也不能期待生命渴求意義時能夠輕鬆。「基督終身辛苦，我等也不得休息」，這是巴斯噶的話，也是你的精神。

256《卡拉馬助夫兄弟們》的偉大作者，你筆下的人物伊凡的話常讓我記取：「我根本不相信凡事該有一定的秩序，只是對我而言，只有春天剛發出的芽，那一股清新透明亮麗的樣子，才能引起我的崇敬。」今天這句話依然低迴在我胸中。孩子，便是大地春天剛萌動的嫩芽。我孩子的信賴，我對生命初始清新亮麗的活力的敬意，和伊凡的話有關。

257你逢人便要詢問人生的意義，蘇格拉底，這固然太沉重，但是，你是真正的哲學家。什麼是古希臘的執着？什麼是人類思想的韌性？什麼是哲學家的大心靈？蘇格拉底便是。偉大的蘇格拉底，你多麼呆，多麼迂，多麼任性，硬是要叩問出一個意義來。為此，你竟付出生命的代價。然而，當執行死刑的人把毒汁交給你的時候，你依然只有壓倒死神的思索。你最深邃，又最單純。徹底的哲學家到底都是個孩子。

258哥德，你是個無神論者，但似乎不徹底。然而，這一不徹底卻給你一個對於天才的精彩認識，你說：「每種最高級的創造，每種重要的發明，每種產生後果的偉大思想，都不是人力所能達到的，都是超越一切塵世力量之上的。人應該把它看作來自上界、出乎意外的禮物，看作純是上帝的嬰兒……它接近精靈或護神，能任意操縱人，使人不自覺地聽它指使，而同時卻自以為在憑自己的動機行事。」（參見愛克曼的《哥德談話錄》）你正是把自己看作上帝的嬰兒，所以你贏得永不衰老與衰歇的罕見的幸福與奇跡。

259

浮士德一定會辜負瑪甘淚和其他情人友人們，因為她（他）們不可能以自由心靈伴隨着他的不停頓的偉大而艱辛的腳步，愛他的朋友和情侶一定會要求他把自己的生命納入文明的秩序之中，然而，卓越的漂泊者永遠不可能成為固定秩序的奴隸。

我喜歡浮士德，更喜歡唐吉訶德。唐吉訶德更富有童心。謝謝你，塞凡提斯，謝謝你創造一個沒有心機、沒有心術、沒有心眼而只知往前進擊和抱打不平的呆子。阿Q往後退縮，而且滿腹是退縮的理由，而唐吉訶德則是一個大孩子。理由是灰色的，而天真則如草木常青。唐吉訶德給我的啟示是：個人與龐大的勢利社會相比，力量懸殊，但還是要與之抗爭，不能丟掉最後的俠義之心。

260

老泰戈爾，我再次向你致意。如果你還健在，該有多好。我想告訴你：你的早晨與黃昏的飛鳥，一直停留在我的身上。它的最後一根羽毛，寫着：我信賴你的愛。我不需要什麼旗幟，只要這一根潔白的羽毛就夠了。

261

飄拂着滿頭銀髮的印度老詩人，我記住你的話：「上帝期待着人從智能裏重獲他的童年。」所有偉大的生命都是個小孩，他們死的時候，把偉大的童年留給了世界，因此，這個世界不會蒼老。你如此酷愛世界，所以世界雖然以痛苦親吻你的靈魂，你卻報予世界以美麗的詩章。你永遠是個真純的孩子，所以，你才能發出這樣的祝福：讓死了的擁有不朽的名，讓活着的擁有不朽的愛。

262

「每個嬰孩的出世都帶來了上帝對人類並未失望的消息」，泰戈爾，想起你這句話，我就不敢輕言絕望。世界彷彿愈來愈寒冷，但是，每一個嬰兒的誕生都是一次早晨的日出，有日出就有暖意。熱帶的哲人與詩人，你所報告的這一偉大信息，我在這裏必須重複，因為此時世紀末的寒氣與怨氣又再一次籠罩着人間。

263

想起你的名字，我又想起了遊蕩的光波。你説，遊蕩的光波正像一個赤裸的小孩，歡樂在綠葉叢中，他是不知道大人會説謊的。你不斷讚美嬰兒又不斷讚美光明，原來是因為他們都漂流在撒謊的國度之外。

264

開創哲學理想國的柏拉圖，我向你致意。我雖然不能很深地進入你的世界，但是，自從我認識你，便學會思想。你第一次賦予思想以一種存在的功能，使思想的內在活動成為可能。因為你，我才覺得思想像物質那樣實在、明晰，那樣可能建構各種雄偉的高樓。人類思想者部落的第一個帳篷，是你和你的老師蘇格拉底搭起的。我，一個從山野裏走出來的農家子，今天如此酷愛思想，什麼都不想要，只要做一個有思想的人，一個思想者部落裏的人，就什麼都滿足了。老柏拉圖，正是你，使我做出這樣的選擇。我原諒你對詩人的偏見，因為你留下孩子般的追求理想國的執着。

265 走東走西，奔南闖北，看到人類依然對二千年前的蘇格拉底、柏拉圖和阿里士多德懷着深深的敬意。不同膚色的學子在讀他們的書，在為闡釋他們的思想皺着眉頭地沉思、做作業、考試，連被革命大潮洗劫過的圖書館也依然站立着他的著作。種種潮流都捲不走人性底層對他們的敬愛。時間固然能改變一切，但是，畢竟有堅固美好的東西改變不了。時間在充實大思想者的名字的內涵，並沒有抹掉他們的名字。

在圖書館裏面對從阿里士多德到莎士比亞、托爾斯泰的精神大海，我常常情不自禁地伸出手去撫摸他們的著作。這個時候，我便覺得自己是個剛剛出世不久的孩子，我所做的一切剛剛開始甚至還沒有開始，我的路很遠，我的彼岸也很遠，跟着他們，才能走得很遠。

266 通過一粒蘋果打開真理大門的大科學家牛頓，你好！謝謝你在臨終之前說你只是一個在大海邊上拾貝殼的孩子。知識的滄海無限無垠，再明亮的眼睛也只能發現海岸邊的幾枚貝殼。這是少年時代老師獻予我的第一個啟示錄。因為你的啟示，我才把自己界定為一個坐在海邊岩石上永遠讀着滄海的孩子，在滄海面前懂得謙卑的學生。

267 北美大地上的沉思者，愛默生，謝謝你告訴我古希臘文學所以具有永恆魅力的秘密：作為悲劇基礎的希臘成年人，一舉一動都像孩子那樣單純、優美。一個有孩子般的天資與天賦的精力的人，歸根結蒂還是個希臘人。希臘文學不僅使我們「感覺到人的永生，還會讓我們感覺到和數千年前的靈魂在同一直覺裏相遇，並在相遇中感覺到時間的消失，以至覺得測量緯度和計算埃及的年代沒有意義」。[11] 這些語言不僅帶給我生的樂趣，而且還帶給我對死的蔑視。

268 茨威格，我向你致意。你六十歲就自殺，怎麼如此絕望？可是，我卻從你著作中獲得不死的力量。你為異端辯護，把良知自由視為人類至高無上的善與幸福。你說：人不能只是按照暴君的指示去活、去死，不能讓恐怖掃除一切生命歡樂的創造活力。專制的暴虐，那是毀滅性的瘟疫，它不僅瓦解個人的意志，而且使社會生存成為不可能。人類社會中幸而有你這樣的獨立思想者的保衛者，絕對支持思想自由表達的權利，你是個精神英雄，捍衛異端權利的天才。

269 我要向你致意，你讓我明白孩子的意義。你對抱着嬰兒的母親說，你的孩子不僅屬於你。他們是人類整體生命的兒女，是整個大生命對於自身的渴望所

11 〔美〕拉．沃．愛默生，佟孝功譯：《美的透視》（長沙：湖南文藝出版社，1988），頁 138。

誕生的。你只是創造的中介，並不是創造嬰兒的一切。你給予他們愛，但不能給予他們強大的思想與靈魂。這些思想與靈魂在他鄉，要由他們去尋找。我愛我的母親，但是，由於你的啟迪，我並沒有向母親索取思想與靈魂。我依靠我自己，並按照那個大生命的渴念去工作和勞動。

270 你的才華如此燦爛，卻又如此謙遜與清醒。成名是危險的，你警告着。你說，「人一旦有了成就，這個名字就會身價百倍。名字就會脫離使用這個名字的人，開始成為一種權力，一種力量，一種自在之物，一種商品，一種資本，而且在強烈的反沖下，成為一種對使用這個名字的本人不斷產生內在影響的力量，一種左右他和使他發生變化的力量。那些走運的、充滿自信的人就會不知不覺地習慣於受這種力量影響。頭銜、地位、勳章及到處出現的本人的名字，都可能在他們的內心產生一種更大的自信與自尊，使他們錯誤地認為，他們在社會、國家和時代中佔有特別重要的地位。於是他們為了用本人的力量來達到他們那種外在影響的最大容量，就情不自禁地吹噓起來」（《昨天的世界：一個歐洲人的回憶》）你的這些話，每時每刻都在護衛着我的天真天籟。

271 沒有一個作家像你這樣蔑視教條主義、那些專制暴虐的愚蠢的辯舌。我和我的同一代人面對的是如此龐大的教條，龐大得使我們的頭顱難以抬起。然而，面對教條，我就想起你的聲音：「自從有了世界，五花八門的災禍就是教條主義者的工作。那些人毫不寬容地堅持自己的觀點和意見是唯一可靠的。正是這些狂熱性使他們要求按照他們自己的模式統一思想和行動。」教條主義者們仇恨異端，可是他們的心靈一旦被仇恨的烏雲掩蓋，就變得一團漆黑。茨威格，你讓我明白：正是這些教條主義扼殺了歷史活的生命，歷史要往前走，是不能理睬他們的災難性的說教。

272

福克納，你記得你說過這樣的話嗎？「二十歲到四十歲的人是沒有同情心的。小孩有這份能力卻不知道，等知道時，已經沒有能力去做了——已經超過四十歲了。……世上的痛苦都是二十歲到四十歲的人引起的。」天然的同情心，這是人類童心的內涵。孩子沒有私利，所以他們會熱烈地擁抱弱者和被凌辱者，會對所有貧窮和苦痛的同伴伸出愛的雙手。二十歲之後走入社會，便進入社會參與瓜分人類文明的果實，此時，「佔有」的觀念壓倒同情的觀念。因此，只有懷着『我只工作，但不佔有，更不掠奪』的觀念，才能自救。」福克納，謝謝你的提醒。

273

拉丁美洲的奇才博爾赫斯，你好，你從幼年開始，就對假面具懷着恐懼。在你的小說裏，總是把面具與邪惡、謀殺聯繫在一起。你的《蒙面染工，默夫的醫生》，書寫一個騙子預言家以金面具掩蓋其患麻瘋病的真面目。你告知人們：世界上最醜最可怕的面目可以用最昂貴、最美的面具包裝起來。你以對面具反感、恐懼、拒絕，表明你對人生的絕對真誠。你把面具撕毀得最徹底，所以你便為自己創造了詩的前提。詩的性格是絕對反面具。

274

我向你致敬，冰心。

你的《寄小讀者》養育了我。一個在山野裏生長的農家子，在吮吸了生身母親的乳汁之後，心靈是乾旱的，幸而遇到你。讀了你的通訊，我的人生就確定了。什麼仇恨也不能把我拉入深淵，唯有童心的嚮導能把我引入愛的天國。二十世紀中國的愛神，我的散文之母與精神之母，請你放心，兒時就確定的道路比什麼都更加正直更加堅定，在你的愛的旗幟下，我將是你忠誠的士兵。

275

在魯迅呼籲「救救孩子」之後，你卻呼籲「孩子救救我」。兩種聲音都是需要的。對於我，兩種聲音都是號角。

你在《寄小讀者》的開篇就對小朋友作出這樣的請求：「我從前也曾是一個小孩，現在還有時仍是一個小孩子。為着要保守這一點天真直到我轉入另一世界為止，我懇切的希望你們幫助我，提攜我。」你那麼早就意識到孩子的純正之心正是人生的救星。守住孩提時代的天真，避免落入社會的糞窖，便是人生的凱旋。有純真的老師才有純真的學生，自己滿心邪惡，怎麼去拯救孩子。

276 林語堂，辛勤的老師，我向你致意。你在四十歲的時候，覺得自己是個孩子：「一點童心猶未滅，半絲白髮尚且無。」在八十歲的時候，他又覺得自己還是個孩子：「我以為自己是一個到異地探險的孩子」；「我仍然是一個孩子，睜圓眼睛，注視這極奇異的世界。」到了八十歲，還睜着孩子的大眼睛，還好奇地打量着世界，還好事地到異地、到一切陌生的地方去漫遊、去探險、去發現。對於這個喜歡探險的作家，無論是中國還是世界，到處都是未經開發的大陸。在大陸上他隨意行走，自由無礙，如同一個小孩走進大叢林一般，時而仰望星空，時而俯看蟲草。他說他的探險程序中沒有預定的目的地，沒有預定的遊程，也不受規定的嚮導的限制。

277 人生的探險不受規定的嚮導的限制，但是，成功的探險者卻在自己的身上找到最可靠的嚮導，這就是童心。童心把人引向無窮的領域，引向那些被陳腐的頭腦所遺忘的最新鮮的領域，引向被世俗的眼睛所蔑視的卻是最富饒的領域。人間永遠不死的偉大嚮導，就在自己身上。這是無比卓越的造物主和聰慧仁慈的母親賜予我的嚮導。

278 豐子愷先生，我向你致意。你是二十世紀中國的童心，你寫的是童心，畫的是童心，胸中跳動的是連一層紗布都不包的赤裸裸的童心。二十世紀中國和世界充滿爭奪，你卻與世無爭；二十世紀的中國政治煽動仇恨，你卻無所不愛；二十世紀的中國被權力和金錢弄得很髒，你的心地卻純潔無垢。你是一個奇跡，一個柔和的、脆弱的、美麗的奇跡，一個沒有咆哮、沒有風煙、沒有喧囂的奇跡。想起你的名字，我就會想起自己本是在母親搖籃裏的嬰兒，除了企求溫馨的陽光之外，並沒有別的奢想。

康德說，在他心頭永遠燃燒的，只有天上的星辰和地上的道德律。而你，豐子愷先生，你說你的內心宇宙裏，只有天上的星辰與地上的孩子。讓我重溫你的話：「近年我的心為四件事所佔據了：天上的神明與星辰，人間的藝術與兒童。這小燕子似的一群兒女，是在人世間與我因緣最深的兒童，他們在我心中佔有與神明、星辰、藝術同等的地位。」豐先生，你和康德的話都是我心中的座右銘。在海外漂流中，一想起你的話，我對宇宙與人生就充滿情意與愛意。只要仰望天上的神明與星辰，我的分裂以至破碎的心思就會神奇地凝聚起來，在人生的複雜交叉口上，就會作出一個簡單但又正確的抉擇。神明、星辰是人類偉大的嚮導，藝術與孩子也是人類偉大的嚮導。基督只活到三十三歲，其實，他還是個孩子。

279

你太愛孩子，太珍惜人類的本真，所以你不忍心人隨着年歲的增大一步一步地深進社會骯髒的泥潭。為此，豐子愷先生，你甚至希望造物主能把人的壽命定得更短促一些。這樣，人類可多保持一些純真，可「減少許多凶險殘慘的爭鬥」。與你相似，曹雪芹也有這種動人的心思，所以他讓自己最心愛的少女林黛玉、晴雯，都帶着孩子的天真與天籟離開人世。她們全都沒有涉及社會後的骯髒故事。你的理想多麼幼稚，但你的理想又是多麼潔白。

280 當學者們在談論人類進化的時候，豐先生，你卻發現個體生命無可挽回的退化。人的一生是一個退化、老化的過程。你最怕孩子的老人化，最怕看到兒時的那些天真勇敢的小夥伴，一個個退縮、順從、妥協、屈服，從小老虎變成小綿羊。你祝福孩子的心永遠留在孩提王國的黃金世界裏，反叛勇敢的退化，反叛天真的退化，反叛人類之愛的退化。豐先生，你知道嗎？你的文章一個字一個字地在我身上注入反叛的力量。我是一個最古怪的反叛者，我知道我的美好的一切將會在反叛中實現。

281 幾次從巴黎的香榭麗舍大道走過，都要在凱旋門的空地上停留。此時，總是想起你，偉大的雨果。想起你在一八四二年三月三十日的那一天，你在這塊空地上注視着一個美麗的小孩，她在草地裏尋找最早開花的香堇。草地上有三頭石膏製作的巨鷹，有曾經在拿破崙出殯時用以裝飾香榭麗舍短石柱的巨球，但你發現：孩子關注的是香堇，不是巨鷹。你為此沉思良久。謝謝你，雨果，你的這一發現讓我激動不已，讓我由此想到：一部分人類殺戮、征服另一部分人類的力的顯耀，並非真正的凱旋；唯有人類愛美的天性像孩子那樣在大地上跳躍翔舞，才給予凱旋門以真切的意義。

一切以孩子為師的詩人、作家、思想家，我向你們致意。克爾凱廓爾，你有哲人的大腦袋，但你以孩子為師，我向你致意。你曾說：誰能給我孩子的好心腸！在想像或真實的需要將人投入憂慮與沮喪中，使人低沉或氣餒時，人喜歡感受孩子有益的影響，並向他學習，於是心靈安寧下來，並以感激之情拜他為師。因為孩子，你在艱難中找到支柱，在憂慮中找到安寧，在氣餒中找到力量，在坎坷中找到不屈不撓的勇氣。孩子是你身上的原始宇宙，天真、坦率、正直、誠實、原創的靈感和思想的第一推動力，全在這不會衰老的鴻蒙世界裏。在你的形而上的沉思中，人所以偉大，就因為他師法孩子。

我曾祈求全知全能的造物主，祈求不要收回他們賦予我的天真與天籟，祈求真與善不要離開我；如今，我於冥冥之中終於找到一條路：師法孩子，追隨孩子，回到童年那一片清新絢麗的原野。

寫給二十世紀的咒語

282 一九一九年十二月八日，卡夫卡在他的日記說：「痛苦和歡樂，罪孽與無辜，猶如兩隻緊緊互握而分不開的手，必須把他們切開，在肉、血和骨頭之間切開。」我在發出咒語時，首先把二十世紀切開。它的輝煌，我已獻予許多文字，但是，輝煌不應當掩蓋罪孽。一隻是握着智慧的靈巧的手，一隻是血淋淋的握着暴力的手。我要給後一隻手寫下咒語，也要給前一隻手寫下戒語。

283 《玉碎》，這是日本作家開高健先生以老舍之死為題材的一篇小說的名字。玉碎，這個意象在我腦中滾動了三十年。我的故國的傑出人物一個一個慘死，不是死於戰爭，而是死於沒有硝煙的另一種暴力。革命的暴力和語言的暴力。老舍、傅雷、鄧拓、陳翔鶴之死是玉碎；彭德懷、劉少奇、陶鑄之死是玉碎；嚴鳳英、孫維世之死是玉碎，我的平凡無爭但心地總是燒着一團火的老師之死，是玉碎。玉的碎片炸開了。碎片直刺我的心肺。我已心疼很久了，此刻還在心疼。

284 老舍、傅雷、鄧拓、彭德懷等，這些傑出人物的死亡，已留在世紀的記憶裏，他們的名字都是紀念碑。而我的老師和我同齡人的許許多多老師，卻是無名氏，他們那麼單純，領着一個月五十六塊錢的工資，卻日以繼夜地批閱學生的作業，青春的頭髮全被課堂裏的粉筆染得白花花。然而，他們被折磨死了。他們的死，沒有在世紀的紀念簿上留下名字；但對於我，他們的死亡永遠是大事件。任何一個無辜者被社會的皮鞭抽打而死，都是大事件。他們的名字留在我的心靈紀念冊上，誰也抹不掉。

285 中國著名音樂家馬思聰逃亡前夕所受到的侮辱和折磨一直讓我耿耿於懷：剝開他的衣服，用鐵煉抽他；用運動員的釘鞋打他；最後因他姓「馬」而把青草塞進他的嘴裏，鮮血淋漓。

這一事件發生在中國音樂學院，手持鐵煉與釘鞋的是音樂學院歌喉圓潤的學生，他們本是最文雅的一群，在鞭打馬思聰，幹着最原始最野蠻的行為之前，正在學院裏學習五線譜，彈奏鋼琴，談論着莫札特、舒伯特與柴可夫斯基。

286 我知道大事件中還有更大事件。一九三七年，日本侵略軍在南京挖掘了萬人坑，活埋了我的三十萬同胞。這是東方巨獸的一次人肉盛宴。萬人坑就是巨獸的胃。一口竟然吞食了三十萬我的父老兄弟。屍骨消化了嗎？血跡洗淨了嗎？二十世紀可以忘掉恥辱的印記——巨獸的胃、巨獸的牙齒、巨獸的心肝嗎？

287 宇宙飛船、電腦、電視，是二十世紀的圖騰。然而，萬人坑也是二十世紀的圖騰。恥辱的圖騰還有奧斯維辛集中營、古拉格群島，還有印尼雅加達街頭的機槍，金邊波爾布特的屠宰場，還有六七十年代中國的「牛棚」。

288 一個早晨或一個夜晚，一次權力的遊戲和一次暴力的試驗，「人間」可以立即變成「牛棚」。牛棚對我的教育勝過十所大學。人間與牛棚的轉換告訴我：人從野獸從動物進化成人，需要幾百萬年幾千萬年，而人要退化為動物為野獸，只要一剎那。

289 茨威格在《昨日的世界》一書中說，希特拉開始崛起時，人們缺少警惕。德國知識分子是最看重學歷的，在他們看來，希特拉不過是一個在啤酒館裏煽風點火的小丑，結果上了大當。茨威格本身也是如此，他說：這個名字進入我的耳朵是空空洞洞的，沒有分量的。然而「這個傢伙給我們世界帶來的災難比一切時代的任何一個人都要多。」僅僅奧斯維辛集中營，被希特拉送進去活埋和服苦役的，就有六百萬人。歷史是和數字連在一起的，我們必須把六百萬這個數字刻在二十世紀的牆壁上。我們不能忘記名叫希特拉的跳梁小丑給人類帶來一次最大規模的死亡體驗。二十世紀，乃是充滿死亡體驗的世紀。

290

三十年代，納粹上台，整個德國「大眾」都支持他。歡聲雷動，激情澎湃。這些被日耳曼種族優越理論的迷魂湯灌醉了咽喉的民眾，瘋狂地屈從一個名字叫阿道夫・希特拉的領袖，追隨他去屠殺猶太人和踐踏歐洲和世界，最後還送掉自己的生命與孩子的生命。掌聲與歡呼聲是有毒的，納粹的毒氣瀰漫全球，與德國國民的掌聲有關。所以，一九七一年十二月七日西德總理勃蘭特在華沙猶太人隔離區起義紀念碑前下跪了。他是德意志民族的傑出兒子，記住了民族製造人類災難的恥辱。

291

盲目的崇拜導致人們把一切絕對權力交給一個強大的名字，然而，緊接下去，便是盲目崇拜者們被這一強大的名字任意驅使、任意利用，甚至任意踐踏與宰割。人民群眾的自作多情與期待救星，便製造了專制政治與歷史悲劇。

292

發生在亞洲柬埔寨的波爾布特現象一直強烈地刺激着我的神經。他死前不久，又殺死自己的戰友、「國防部長」宋成和他的全家，然後親自駕駛軍車來回地輾碎他們的屍骨，讓血肉帶着沙土在空中橫飛。這種最殘忍的行為，使用的卻是最神聖的革命的名義。當我看波爾布特在柬國的行為時，我對人的觀念整個的改變了：人，固然是宇宙的精華，但人也是宇宙中的魔怪。人，可以是比野獸還壞一百倍的生物。

293 一個曾經歡迎過紅色高棉的柬埔寨年青人，在紅色高棉血洗國家之後說：「現在，只要看到他們在走，我們這些人就這麼害怕。我們就像快被淹死的幼鼠那樣恐懼。」[12] 我想起二十世紀，就想到這個充滿恐懼的「幼鼠」意象。紅色的革命竟會變成席捲一切的洪水，把人們變成可憐的幼鼠。以至使幼鼠們的任何掙扎、任何哀叫、任何哭訴與求饒都無濟於事。

294 《血洗高棉》還記載：波爾布特集團為了節省一顆子彈，指令他們的戰士在槍決異己（包括一部分民眾）時，用鋤頭（鶴嘴鋤）去敲碎腦袋或打斷他們的頸背。在他們看來，一粒子彈的價值遠遠超過一個人的生命價值。

295 在史太林的集中營裏，被折磨而死的俄國著名詩人奧西普·曼德爾斯塔姆曾說，衡量社會的尺度本是人，但在我們這個時代，權勢者「沒有時間考慮人」，「他們只是把人當作磚頭或水泥使用，是用來建築的，而不是為之建築的。」把人當作磚石、水泥、螺絲釘、炮灰、牛馬、商品等，這是二十世紀權勢者關於人的共同認識。儘管政治取向不同，但對人的認識，基本上一致。

12 中國時報編輯部：《血洗高棉》（台北：時報文化出版公司，1977），頁 34。

296 極權帝國政治不僅會產生一個主宰一切、指揮一切的「英雄」，還會產生出無數的精神侏儒與人格侏儒。「英雄」治下的帝國具有大片的疆域，而且有無數隻會在地上匍匐的小人精、小人儒、小人國和小人城邦。日本在四十年代經營「東亞共榮圈」極權大帝國時，我們的東北，就出現滿洲小人國，「國」中就有許多小人儒與小人精。

297 普羅米修斯因為對人類抱着至情至愛，所以被捆綁在岩石之上，蒙受兀鷹啄咬自己的身體。但他還是幸運的。他無須像被改造的知識者在咬噬之前，必須自己剖開胸膛，然後，不僅讓兀鷹撕碎，還要自己把它撕裂。此時，我在陽光下細細端祥自己的心，就看到心上不僅有兀鷹堅利的爪痕，還有自己的刀痕齒痕。

298 普羅米修斯的祖先是誰？兀鷹大約不知道。它只啄食普羅米修斯，並未追蹤他的祖先。兀鷹畢竟是神鷹，擁有神的文明，野蠻的邊界有限。我羨慕過普羅米修斯，他能每天都使傷口癒合，而且沒有連累到自己的父輩與祖輩。

299 整整十五年，我一直忘不了《百年孤寂》的作者馬奎斯在榮獲諾貝爾獎時的演説。他告訴我們二十世紀在南美洲發生的事：

我們從未得到過片刻安寧。一位深受愛戴的普羅米修斯式的總統，竟然被困在大火沖天的總統府中，同整支正規軍對抗，最後戰死；在兩起令人可疑而又無法澄清的空難事件中，一位英明的總統和一位為恢復民族尊嚴而鬥爭的民主軍人喪生。在這期間，發生了五次戰爭和十六次政變；還出現了一個惡魔般的獨裁者，以上帝的名義，對當代的拉丁美洲實行了第一次種族滅絕。與此同時，兩千萬名拉美兒童，不滿兩歲就夭折了，這個數字，比一九七〇年以來歐洲出生的嬰兒總數還要多。遭受政府迫害而失蹤的人達十二萬，這等於烏默奧（瑞典的一個城市——引者）全城的居民不知去向。許多阿根廷監獄中分娩的被捕孕婦，不知道自己親生骨肉的下落與身份，軍方當局下令把這些孩子秘密交人收養，或送孤兒院。全大陸有二十萬人為改變這種狀況而獻出生命，其中十多萬人死於中美洲三個任意殺人的小國：尼加拉瓜、薩爾瓦多、危地馬拉。……智利一向以殷勤好客著稱，但竟有一百萬人外逃，佔其總人口的百分之十。被認為是本大陸最文明的烏拉圭其二百五十萬人口中，有五分之一流亡國外。在一九七九年以來，薩爾瓦多內戰使當地幾乎每二十分鐘就產生一個難民。

300

馬奎斯還說，世界每年的出生人口要比死亡者多出七千四百萬，這些嬰兒大部分出生在貧窮的國家，而那些經濟最繁榮的國家卻積聚了強大的、足以滅絕文明人類、甚至可以消滅所有生存於我們這個不幸地球所有生物的破壞力量。馬奎斯描述的是世紀的現實。他所以會感到揪心的孤獨，正是因為他找不到一種合適的語言來使人們相信二十世紀人類的生活的實際。

301 天才找不到描述罪孽與苦難的手段，我又何敢奢望讓人們相信我的那些苦難的記憶和死亡的記憶呢？於是，天涯海角裏只剩下孤獨的咒語。

302 我詛咒那些謀殺同胞的兇手，但找不到兇手。是誰把老舍推向死亡的湖泊？是誰把巴金送進任人屠宰的牛棚？是誰把彭德懷的骨頭一根根打斷？是誰把國家主席劉少奇變成只剩下一尺多頭髮的白毛女？是誰把我心中至善至美的仙子——扮演七仙女的嚴鳳英帶入黑牢、打成死鬼、然後又剖開她的胸膛尋找「罪證」？找不到兇手。這是一個民族的共同犯罪，是二十世紀人類的共同犯罪。人類製造了那麼多花言巧語與豪言壯語，一切罪責都被遮蔽了。

303 聽不到有人說「我有罪」。承認「我有罪」的聲音很微弱很稀有。

亞當與夏娃作為人類的始祖，他們擇取了智慧之果而成為人之後，第一個發現便是自己是赤裸裸的，即發現自己的羞恥。人類的歷史是從羞恥之心的覺醒開始的，但現在的人類卻不知羞恥。

304 米蘭·昆德拉在《生命中不能承受之輕》中，一再重複着「羞澀」二字，他發覺現代人沒有羞澀感。錢鍾書先生在為楊絳《幹校六記》而作的序文中只表述了一種遺憾：那麼長的歲月做了那麼多的壞事，但沒有人「抱愧」。抱愧感與羞澀感已在世紀的衝浪中消失。

305 二十世紀是個特別龐大的工廠，它製造了以往幾個世紀少有的下列幾種特殊產品：只有肉沒有靈的「肉人」；只有軀殼沒有良知的「空心人」；只有技術沒有性情的「單面人」（馬爾庫塞的概念）；只有工具性沒有人性的「機器人」；只有權術心術而不學無術的「政治人」。這些二十世紀的新種族都沒有羞澀感，他們不知道人貴自知恥辱。

306 媚俗，是昆德拉的另一發現。「俗」已接近醜，倘若再濃妝豔抹，拼命「裝」，便成了媚俗，即更加醜。明明在餓肚子，偏挺着大肚子遊行，載歌載舞，這便是媚俗。媚俗是極權主義的肉麻。

307 在物質層面上，說生物在不斷進化，大約沒有錯。二十世紀人類的臉皮顯然比十九世紀厚，而維護臉皮的工具——面具，也比以往的世紀發達。愈聰明的人，臉孔愈多樣，面具也愈精緻。

308 二十世紀的權勢者說，所有的答案都有了，所有的結論都有了，你的使命就是謳歌結論，注疏結論，演繹結論。強制之下，知識者分化，一部分就謳歌、就注疏，雖落入俗流卻鑽入社會「主流」；一部分則提出問題，於是就反省、就質疑、就突破。提出問題就是反對媚俗，但這些人就受苦，就落魄，就被送入牛棚或牢房。

309 唐僧不是神，有人的局限。他沒有孫悟空的金睛火眼，沒有如來佛的無邊手掌；但他有愛生命的善良心地。因為他慈悲、善良，所以中國人在以往的十個世紀中，一直被敬愛着與敬重着。這是集體無意識。可是，二十世紀的革命鐵靴踐踏了這一心地，毀了這一心地。「千刀萬剮唐僧肉」，一個世紀性的中國詩人這樣呼喊。對慈悲心地如此仇恨，這是二十世紀的恥辱。

310 托爾斯泰曾說：除了善良，我不知道世界上還有什麼美好的品格。可是，托爾斯泰的話一直被嘲弄，先是被暴君嘲笑，後是被痞子嘲笑，聰明人則從世紀初嘲笑到世紀末。

311 本世紀初期，卡夫卡就預感到這個世界不太美妙，他開始說着這個世紀精彩的咒語。如「這世界很快就要擠滿代代繁衍不止的機器人」，「一大堆陳腐的字眼和觀念，這些比甲胄還要堅厚」，「我們所處的時代是一個被惡魔所掌握的時代，我們只能像犯罪似偷偷地行善為義」，「戰爭與革命無休止地肆虐，我們冰凍的情感助長了它們的火焰」，「膾子手永遠背負惡名」等。每一句都是咒語，但每一句都是真話。

312 《聖經・新約》中的一個故事是基督將橫衝直撞的豬引入魔鬼盤踞的地方，使他們全部溺死。這一故事給我的啟迪是：六七十年代，我億萬同胞們都處於橫衝直撞之中，那時，我們在上帝的眼中，一定只是一群即將被他引入魔窟而溺死的可憐的豬。

313 最人道和最神聖的思想，得像小偷一樣戴上假面具和面紗，偷偷摸摸地從後門出入，因為前門有巡捕和當局的傴傭軍們把守着。這是茨威格在《異端的權利》中描述的情景。這種荒謬的情景，我也經歷過，至今我仍然感到戴着面具與面紗的生活是我最不能容忍的生活。

314 印尼峇里島的鬥雞是一種帶有宗教性的社會活動。公雞是社會雄性的象徵。博鬥的雙方各選出最勇猛的一隻公雞，在腿上綑紮十公分左右的利刃，然後進行慘烈的廝殺。這一古代風俗常使我聯想起我所歷經的文化大革命。那些爭鬥的雙方全都像好鬥的公雞，而且激鬥時雙方也都自稱自己帶着最銳利的武器，這就是紅色語錄本。古代由雞代替人鬥，現代由人直接鬥，這就是人類的進化嗎？

315 存在主義哲學家薩特思索誰是人類最大的敵人，誰應對二十世紀的種種罪惡負責。他讓「英雄」葛拉特（Franz von Gerlach）回答：「如果人類不是遠古以來就受到立誓毀滅他的殘酷敵人的監視，這個世紀可能會是美好的世紀。這個敵人，是一頭無毛、邪惡、食人的野獸——人類自己。」人類與野獸相比，什麼都有，既有獅子的凶心，狐狸的狡猾，又有毒蛇的陰冷，狼的殘暴，狗的卑賤，而且，雖然無毛，卻有文明的外衣。所有人類的不幸都是披着文明外套的人類本身所造成的。

316 第一次世界大戰之後，弗洛依德對人類的前途感到悲觀，並在自己的學說中形成「死亡本能」的概念。他看不到有什麼辦法可以限制人類的侵略本能。兩次世界大戰，使人們看到一個國家對另一個國家的侵略，一個國家對另一個國家主權的剝奪。而在第二次世界大戰之後，我又看到另一種形式的侵略，這是在一個國家內部人對人的侵略，一部分人對另一部分人靈魂主權的剝奪。強迫一部分人交出心靈，強迫一部分人變成沒有頭腦的工具。這種死亡本能，形成本世紀的另一類恐怖。

317 機器仍像洪水繼續從工廠車間湧向社會。二十世紀是機器泛濫並建立它的絕對統治的世紀。機器正在取代人和侵吞人的各個領域。二十一世紀新哥倫布的使命，已不是發現未被開發的大陸，而是發現未被機器所佔領的人性領域：人的哪些部分可以不被機器所替代？人性是否可能？在機器絕對統治下，人性荒野上的孤島和綠洲在哪裏？

318 大自然在被拷問時是沉默的（歌德語）。倘若不是沉默，它一定會抗議人類在二十世紀中對它的摧殘。森林、草原、山脈、河流，在被人利用之後，一批一批地走向死亡。因為大自然無言無語，我寫了《救救黃河》的文字，寫了《故鄉大森林的輓歌》，以後還要寫小河與小溪的祭詞。童年的小河與小溪的死亡，永遠使我感到心疼。大自然被踐踏時固然是沉默的，但總有一天，它會爆發。

319 盧梭預言：我們靈魂墮落的程度與我們的藝術、科學近乎完美成正比。二十世紀大腦很發達，但心靈有毛病。這個世紀拼命地發展大腦，以至創造出可以取代大腦的電腦；但是，這個世紀遺忘了心靈。在人類大腦愈來愈大的同時，人類的心靈愈來愈小、變質變態。這個世紀的大人物，多數是腦子很好但心地很壞的人，發展下去，世界可能要被聰明的痞子、騙子所擺佈。

320 現代化的公路與鐵路修築到哪裏，既把金錢帶到哪裏，也把墮落帶到哪裏；既把文明帶到哪裏，也把野蠻帶到哪裏；既把聖父聖母像帶到哪裏，也將妓女流氓帶到哪裏。現代化有時像「聖水」點化不毛之地，使它變成金碧輝煌的城市；有時則像「洪水」凶猛地捲走原先純樸的民風與古典的安寧。

321 在東京、紐約、香港，看到人們緊張的面孔和快速的腳步，便想到西班牙畫家胡安·日諾維斯在一九六六年所作的畫：《焦點》。這幅畫所描述的當代人類，是顯微鏡下或探照燈下的一群驚惶奔跑的螞蟻。畫家發現人類在現代生活的重壓下與在戰爭的重壓下一樣，都是逃難者與逃荒者。

322 十九世紀詩人們所憧憬的意境高遠的天空已經消失，取代它的是二十世紀卡夫卡首先發現的城堡。迷宮式的、可望而不可即的城堡，在地圖上找不到卻遍地皆是的城堡。它牽制着人類的全副身心，讓人們迷失在它的面前。它是籠罩在你頭頂的巨大陰影。是你難以跨越的壕塹和無可奈何的敵對者。在它面前，你無理可說，只能敬畏；你的一切努力都是徒勞，只能空有嘆息與憤怒。它近在咫尺，但誰也無法進入。所有精彩的詩情和善意的思索，全被拒絕在城堡之外。卡夫卡時代至今沒有消失。他的《變形記》、《審判》、《城堡》依然是當下世界的象徵。

寫給時間與友人的備忘錄

323 時而是羊，時而是獸；時而是王，時而寇；時而是看守，時而是囚犯；時而是虐待狂，時而是被虐待狂。總是在這兩種角色中轉換，從來不是一個獨立的自己。這是我在六七十年之間的生活。記下一筆，不想忘卻。

324 父母是「黑幫」，子弟也倒霉，但畢竟不是「誅連九族」，似乎文明了。可是我卻看到「九族誅我」：一個人被扣上「反革命」大帽子，則群起而攻之，「全黨共誅之，全國共討之」，包括妻子、兒子、孫子、侄子、叔伯、朋友、學生、同事等「九族」皆義憤填膺，給予口誅筆伐。從「誅連九族」到「九族誅我」，算不算文明的進步？

325 大元帥彭德懷到湖南家鄉時看到鄉親們「飢餓」沒飯吃，回來後說了實情，講了真話，結果被打成「反黨集團」首領。一個戰功赫赫的「總司令」尚不能講真話，平民百姓還怎麼開口？後來，彭大將軍又被打斷了筋骨，這是個人之傷，而從此打碎了中國人的「誠實」，這是國家之傷。

326 六七十年代「文化大革命」有一個大發明，就是發明了「牛棚」。「高帽」無常鬼就戴過，不算發明；拳打腳踢，流氓也會，更不算發明；「坐飛機」算不算發明，尚待考證。唯有這「牛棚」可稱「史無前例」。把「人間」變「牛棚」，既有肉體懲罰，又有人格侮辱。我雖未被送進過「牛棚」，但這一概念卻讓我產生了一個古怪理念：人到「地球」來一回，就像到「地獄」來一回。

327 信實的母親在文化大革命中一直沉默，唯有一回對我生氣。那是她在家裏聽我高唱「爹親娘親不如毛主席親」。她其實也敬愛毛主席，只是聽不慣把主席與爹（父）娘（母）相提並論，以致愛主席超過愛親爹娘。母親不是說我「不對」，而是說我「不真實」。母親的批評震動了我的靈魂。

328 「牛棚」使我學會懷疑，所以它對我的教育勝過十所大學。

329 我一直衷心地謳歌「經濟國有化」的革命，但無法支持「心靈國有化」的革命。所以，對於「交心運動」，即把心靈交給國家的運動，始終悶悶不樂，儘管我因年紀太輕沒有「交心」的資格，但體驗過「鬥私批修一閃念」的沉重與恐懼。

330 我沒有唱過「自由」的高調，但訴求過三項低調自由：（一）「獨立」的自由，即不依附某些「皮」的自由；（二）「沉默」的自由，即不表態的自由；（三）「逍遙」的自由，即不參與的自由。

331 無論是寫作還是講演，我都比較從容，因為我拒絕「譁眾取寵」，也就是不把自由交給讀者與聽眾，而把「自由」牢牢掌握在自己的手裏。自由是自給的，它是一種覺悟，一種自我意識。我不期待上帝、國家、大眾能給我自由。

332 生命佈滿秋色，白髮像旗杆在頭頂豎起。人們都說人過半百記憶會像秋葉飄落，然而，我卻忘不了昨天。昨天的苦難記憶像浪濤拍打胸脯，時時提醒我的一項人生使命。這一使命是絕對命令。它要求我把昨天在故土上的體驗心驗記錄下來，這是一部人怎樣變成獸、變成畜、變成奴才、變成工具的故事，我必須告訴時間、友人與後人，以使此後的歲月不要重複這類故事。

333 害怕人們讓我在心中緊繃一根弦，身內築下一個堡壘。青年時代，我和同胞們天天都像士兵一樣構建靈魂的工事與碉堡，處於備戰狀態。相互信賴沒有了，眼裏放射的全是偵探員的目光。我害怕生活在這種目光之中。逃亡，便是逃離懷疑的目光。

中年之後，我老是感到疲倦，嗜睡，不僅是身倦，而且是心倦。如今知道了，一顆天生的柔嫩的心靈，老是提着一個沉重的堡壘，怎能不疲倦？

334 人性是脆弱的，經不起天天講、月月講、年年講鬥爭，講廝殺。十年、二十年、三十年的連續鼓動，人真變形變態，如果連續一百年地鼓動，人可能完全變成畜與獸，甚至比獸還壞。

335 馬思聰流亡海外後幾次痛哭，有一次他要求妻子不要勸慰他，讓他哭個痛快。他的痛哭不僅是對於土地的鄉愁。故國，故國那些兄弟、子弟怎麼一下子變成毒打自己的豺狼虎豹，同胞身上那些鄉土之情怎麼突然熄滅？自己所酷愛、所獻身的孩子怎麼會用仇恨的噴火來相報？怎麼也想不通，只有痛哭。男兒眼淚不輕彈，而音樂家馬思聰卻如此痛哭。如今人們又在唱他的歌，而我卻在記錄他的哭聲也是他的音符。

336 詩人徐遲在八十年代初來到美國，並到費城走訪馬思聰。回國後，他在自己的散文中說，如果我是一方諸侯，我將傾全國之所有，贖回馬思聰這樣的國寶。詩人的心是最純正的，他懂得一代歌王的價值，更懂得贖回一個赤子的歌聲與哭聲，意味着什麼。但徐遲在中國也是稀有之物，他最後墜樓自殺。

337 曹雪芹寫的《石頭記》，是一塊被女媧補天時遺棄的石頭經過無數年代的修煉而獲得靈氣轉化成人的故事。而我看到現實的一部石頭記，則是相反的故事——人變石頭的故事。幾代人在一場又一場洗心革面的人造巨爐中冶煉，被掏空的信賴，變成一具具僵冷的完全喪失人性的石頭。曹雪芹的石頭記將進入永恆，而時人的石頭記，就該遺忘嗎？

338 死者紀念碑與紀念堂的每一塊磚石都在召喚人們：勿忘他。我在方格上所寫的每一行字，也構築一座死亡紀念碑，也在提示人們：勿忘那座錯誤的時代大廈，那裏也有你提供的一塊罪惡的磚石，勿忘它。

339 智利的大詩人聶魯達，僅到過中國一回，就發現，螞蟻般的中國人，他們的身體似乎被當作鐵錘柄用，於是身體就在千百年的勞動中退化損壞。聶魯達為此而傷感。無論是古代的中國人還是當代的中國人，都遺忘生命的權利，所以從政治領袖到文學詩人，一直在鼓動人應當成為鐵錘柄一樣的齒輪或螺絲釘。聶魯達是共產主義者，他的憐憫裏絕沒有種族歧視。

340 卡夫卡筆下的參沙（Gregor Samsa）在一個惡夢醒來之後發現自己是條甲蟲。我在六十年代中期，則看到革命號角一響，無數中國知識者突然變成牛鬼蛇神，一夜之間就遠遠地被拋出人類界。一場歷經十年的「震動靈魂的大革命」，給我留下的恐懼，便是隨時可以被拋出人類界。動物園裏的猴子們被拋出獸界後進入了人類界，而人被拋出人類界之後，卻只能進入畜界。

341 國籍有的是天然形成的，有的是自我選擇的。而人籍則是偉大的天地母親所賦予的。我不怕被開除國籍，但害怕被開除人籍。在人的世界裏不能做一個人，這才是真的悲慘。北京大學的季羨林教授在《牛棚雜憶》中，記下他被「開除人籍」之後的大苦痛。被開除人籍後的非人群落，是一個真正的孤星淚。

少年時讀雨果的《孤星淚》，覺得驚心動魄，經歷了牛棚時代的慘苦之後，再讀《孤星淚》，只覺得那悲慘是很平常的。最重要的，是雨果筆下的悲慘者，人籍還是保留着的。

342 一個沒有星月的夜晚，在沉睡中做了一個大夢：司芬克斯重新降臨，守在懸崖的路口，它不是讓我猜謎，而是讓我用一短語誠實地報告自己的身份、理想、人生宗旨、良知內涵和反叛對象，我立即回答：我是一個手無寸鐵、身無吹灰之力但腦子和心靈絕對拒絕任何暴力的思想者。它點點頭，讓我通過關卡。

343

在香港時，我偶然從電視屏幕上看到深圳法庭正在審判兩個女殺人犯。她們殺了十七個男子，把他們一個個砍成肉段後扔到海裏。然而，審訊時她們輕鬆自如，相互嬉笑。這嬉笑更令人驚心動魄。由此，我又一次看到，人性可以喪失得如此乾淨和徹底，她們的笑，是徹底的笑。

344

俄國流亡作家蒲寧在獲得諾貝爾獎時說：最激動人心的快樂也不足以和那深深的憂傷相比。出國將近十年，我走過許多國家，觀賞了四海山川，八方城閣，但總是抹不掉內心隱隱的憂傷。我能走出一個時代投下的陰影，但很難走出一個時代留下的憂傷。

憂傷是心靈。為暴虐而歌唱的人，沒有心靈；因此也只有肉聲，沒有心聲。

俄國文學的偉大傳統是憂傷，中國最偉大的小說《紅樓夢》是憂傷。《三國演義》沒有憂傷，只知權力、財富、功名的大人物，沒有憂傷。

345

痞子嘲笑信念，嘲笑憂傷，嘲笑赤子心腸。

悲劇的幕後是眼淚，痞子笑劇背後是冷漠。

悲劇的主角是傻子、呆子與赤子，痞子笑劇的主角是聰明人、機靈人和犬儒人。

346 被視為異端，被放逐，漂泊的故事將記於友人正直的心碑裏，也將寫進時間的檔案裏。為了讓友人與時間方便，我在「日記」裏寫下曾向社會呼籲的異端內涵：

347 人不是牲畜，不要隨便對他們吆喝。

348 不要放棄人之所以成為人的那些最基本的品格：誠實，正直，善良，同情心。

349 不要用統一的模式剪裁個體生命。生命是宇宙，是滄海，是尊嚴。

350 改造成老黃牛，這是馴化。獸可以馴化，但我是人，我拒絕馴化。

351 人類的情感如此豐富，但人造手造的權力卻要求所有的情感都納入獨一無二的思想體系之中或編入無可懷疑的領袖頭腦的程序中。這便是專制。

352 爭吵總會有，但不要使用拳頭、牙齒、棍棒、子彈等語言。

353 人是生理存在，所以要吃飯；人是心理存在，所以要思索。

354 讓思想者思想，讓思想者說話。在所有的權利，如自由貿易、自由居住、自由戀愛、自由婚姻等權利面前，有一種更大的權利，這就是自由表達的權利。自由表達，是思想者的最高尊嚴。

355 人可以自由選擇「崇拜」。可以召喚人民崇尚英雄，但不要要求人們崇拜白癡，崇拜一個對知識交白卷的偽英雄。

356 不僅要允許人說話，還要允許人沉默。沉默是良心最後一道防線。不要強迫我去跨越這道防線和其他道德的邊界。

357 辛苦了要呻吟，委屈了要呻吟，被虐待了要呻吟。要允許人們呻吟。

358 記得法國的一位詩人呼叫過：思索吧，最不幸的便是終身如一隻籠中之鳥，永遠將自己的頭撞在堅硬的木棚上。我的一切努力正是為了逃離這種不幸的人生。

359 《奧德賽》中的奧德修斯航行到海格力斯石柱時對他的同伴說：記住，在你們未來的歲月中不要放棄追求探索人類未開發領域的使命。上天所賦予你們的使命並不是要你們像牛馬一般生存，而是要你們為名譽和知識奮鬥。當社會要求我以充當一頭老黃牛為使命時，我常想起在海中漂泊的奧德修斯。

360 讀了李維史陀（Lévi-Strauss）的《野性的思維》後才明白自己曾經是個原始人。原始人的思維也有邏輯的嚴密性，但只是生活在兩分法之中。天空，陸地；白天，黑夜；男人，女人；冬天，夏天。世界的萬物，常只分成兩三類。那伐鶴印第安人就根據是否具有語言的原則把生物分成兩類，無言語的生物由動植物組成，動物又分成「走獸」，「飛禽」，「爬蟲」之類。六七十年代，我們生活着的思維世界與此相似：人分為敵我兩類。敵類又分為本國的「牛鬼蛇神」，即走獸類；外國的「帝國主義與修正主義」，即飛禽類；在敵我之間求生的準敵人，被稱為爬蟲類。

361 但丁在他的《神曲》中，把他認為最壞的人送入各層地獄。他們的鬼魂承受着各種酷刑，有的被黃蜂和牛蟒叮螫着，有的被雨雪冰雹打擊着，有的被巨石壓碾着，有的在血河上蒸煮着，有的在冰湖上冷凍着，撒旦就站在冰湖中心，緩緩地咬齧着這些可憐的魂魄。我觀賞了種種刑罰之後，才發覺但丁畢竟仁慈，他所設計的各種酷刑，竟然沒有一種如中國的五馬分屍和株連九族的。

362 把良知、理性都交給國家，放棄良知自由和理性自由的權利，結果不僅挖空了自己，而且也助長國家的罪惡。

363 人活着有時酷似神明，有時則酷似動物。我看到許多人，與帶爪的野獸十分相似。他們的爪不是一般的爪，而是鷹似的直撲同類心臟的堅爪。

364 讓我拒絕繼續充當這樣的順民：飢餓時，讓我謳歌飢餓；貧窮時，讓我謳歌貧窮；撒謊時，讓我謳歌撒謊；橫掃一切時，讓我謳歌橫掃一切。順從地謳歌，順從地付出靈魂。

365 告別一切暴力，告別武化暴力與文化暴力，告別個體暴力與集體暴力，告別政府暴力與民眾暴力，告別軀體暴力與語言暴力，告別一切革命名義和其他神聖名義下的暴力。特別要告別政治帽子的暴力，這種帽子曾壓死無數無辜的生靈。

366 前蘇聯外交部長謝爾格納德説過一句讓我難忘的話：幾十年來我學會了同各個國家對話，但沒有學會同自己國家的人民對話。同自己的人民對話自然比同異國的領袖對話更難，因為這種對話是不可以使用外交語言的。

367 嚴酷的專制像一部拙劣的機器，它不生產人，卻生產兩種東西：一是夾着尾巴的狗，一是翹起尾巴的狗。

368 熱情被愚弄了一千回之後就能學會頹廢。人道的情感被批判一萬次之後，社會上便到處行走着兩腳的禽獸。

369 少年時代，政治教育者給我和我同胞的訓示，大約是這樣一個意思：要成為未來偉大的新人，現在必須把自己貶低為比普通人矮一尺的老黃牛，矮兩尺的機器人和矮三尺的螺絲釘。這種為了明天的高大而在今天的自我縮小和自我矮化，使我非常痛苦，最後我完全放棄成為新人的夢。

370 在文化大革命中，人間到處都是刺骨的風雪。我的靈魂縮成一團，它只能在自己的生命爐壁上取暖。

371 無論走到什麼地方，我的心中都提着一把絕對的標尺，去丈量那裏的人群離獸界有多遠。

372 當我從七十年代的大革命風潮剛剛走出來的時候，覺得自己的靈魂遍體鱗傷，腦子上被貼滿大字報，心中到處是漿糊，我花了許多時間療治洗淨心靈之後，才重新進入生活。

373 我在青年時代幾乎是在故國洶湧的苦難海水中游泳。每一個被推到海裏而下沉的受難者，最後都沉落到我的心底。於是，我的心靈慢慢變成一座公共墳墓。這裏埋着許多人的名字，從領袖人物劉少奇、彭德懷，一直到我熱愛的作家傅雷、老舍等，還有許多別人不知道而對於我是非常重要的老師的名字。

374 在中國的文化大革命中，我看到著作等身的學者，勤勉一生的教師，百戰沙場的將軍，全部像受驚的孩子一樣顫巍巍地站立在毛澤東的像下。他們付出畢生的心血，卻無法保障自己一個自由的呻吟。正是在這種顫巍巍的景像中，使我開始叩問人生的意義。

375 我的幾位在文化大革命中被吊到大樑上痛打的老師，從未對我提及此事，這固然是他們的寬容，但也是因為他們知道，嚴酷的生活隨時都可能使他們再一次被懸吊起來，再一次被痛打。

376 南美作家馬奎斯在《百年孤寂》中寫邦迪亞家族一代不如一代，最後一代竟長出豬尾巴來，這似乎是魔的故事。而我在我故國的革命歲月中，就看到無數年輕輕的戰士頭上長角，身上長刺。無數教師與學者的身軀和心靈都深深地被他們所刺傷。而知識分子也分明長出一條必須時時夾着的狗尾巴。

377 對世界的絕望常常是從原先寄以最高希望的人和土地開始的：從你最熱愛的人開始，從你最信賴的朋友開始，從你最敬仰的領袖開始，從你緊緊擁抱着的故鄉開始。

378 在八十年代與九十年代之交的日子裏，我的內心充滿恐慌。唯有在這個時候，我才發現自己對命運的挑戰準備得多麼不足。這種挑戰差些要了我的生命。經歷了這一危險之後，我才相信，人生確實沒有金光大道，有的只是一個又一個的挑戰。

379 人類社會最柔軟、最弱小的武器，這就是緩緩跳動的心靈。用這種武器去反叛強權，阻止世界上任何形式的暴虐行為與殺人行為，這是至柔與至剛的較量，是一種力量最為懸殊的戰爭。但是，我至今仍然高舉我的弱小武器去迎接強大的暴力。

380 我的心史很簡單，開始是故鄉碧藍的河水滋潤出心的柔情；以後是祖國的牛棚投下心的陰影；後來則是坦克的履帶輾過胸脯，擠壓出心的淚水。後來的後來，是孤零零地藏匿在洛磯山下，發着心的嗚咽。

381 總是難忘為民請命的英雄彭德懷，在文化大革命中他被人民批判、鬥爭、審訊兩百多次，還被人民吐了口水。茨威格在《羅曼・羅蘭傳》中評介羅曼・羅蘭的劇本《理性的勝利》時説：高尚的人臨死時也知道他們是孤獨的，他們並不指望取得成就，他們並不寄望於群眾。他們知道，人民永遠不會找到高級的自由，他們認不清優秀人物。[13]

382 流血之後，孩子的屍首被送進墳墓。沒有人敢去送花圈，沒有人敢去唱輓歌。宰割了孩子的屠刀來不及洗滌又在窺伺着接近屍首的人們；而美妙的歌喉則高唱着禮讚屠伯的頌歌。經過這幾層的折磨，我想起了魯迅那句話：「有比刀槍更驚心動魄者在」。

13 引自茨威格，姜其煌譯：《羅曼・羅蘭傳》（長沙：湖南文藝出版社，1993），頁76。

383 一九八九年我踏上異邦的土地曾想發表絕望宣言。我知道新的希望一定是植根在絕望的土壤之中。記得薩特說：「人類的生活恰恰應從絕望的彼岸開始。」[14]

384 悲劇是悲慘的，但是發生悲劇之後卻找不到悲劇的意義就更加悲慘。悲劇主角的血流過了，但沒有人正視血跡，也不知道為什麼流血？個個只等待時間之流沖走血痕。

385 常常想起卡夫卡的話：「革命蒸發後，留下來的只是一片新的官僚政治的污泥，受盡折磨的人類桎梏是用紅帶子做的。」[15]革命能蒸發掉許多東西，最後蒸發掉人性。

386 我看到的文化大革命，乃是動員我的同胞，掃蕩自己的優秀分子，然後說明他們是一堆垃圾，從頭到足，一無是處，那些曾被尊敬的詩人學者，除了惡之外也一無是所能。用這一無所能來襯托全知全能，便是革命。

---

14 法國《行動》報，1944年12月。

15 卡夫卡，張伯權譯：《卡夫卡的故事》（台北：時報出版社，1983），頁168。

387 革命連結着殺戮，連結着鮮血流淌。一旦革命勝利，就害怕敵人報仇，害怕他們用同樣的殺戮的辦法和同樣讓血像河水一樣流淌，因此，血的陰影總是籠罩着勝利者，於是，即使勝利的政權實際上像鐵桶一樣堅固，但他們意識形態的神經還是脆弱的。

388 要讓人吃飽飯，要讓人自由養豬、養雞、養鴨、種地，不要把人類在原始時代和遠古時代就學會的基本功能說成是資本主義。革命再美妙，也不能吞沒人類胃口必要的食物。

389 我接受過馬克思主義的經典訓練，知道共產主義學說是一個完整的體系，它的邏輯非常嚴密，學說十分成熟；然而，這樣反而容易形成一個封閉的系統，一種不可修正的教條，中國知識分子就因此而無條件地接受，不敢在教條中抬起頭來，直到今日，才慢慢明白，對於一種外來的思想體系和學說，是應當進行從容實驗的，而不應當用革命運動和政治運動強制性地移植與灌輸。

390 一九七六年，野心家被打倒了，「大革命」結束了。我欣喜若狂。我從未為一件「大事」高興這麼久，這麼真誠，這麼熱烈。儘管我鼓勵「個性」，但此事業明白：個人的命運畢竟與國家的命運息息相關。

391 在中國的政治運動中，作家和詩人才了解什麼是國家機器。這種機器就是在一夜之間，可以把人碾成粉末的絞肉機。

392 到海外之後才知道海外生活的艱難，看到許多又打工又讀書的留學生，我就感慨說：這簡直是受洋罪。有一回我問一位朋友：在國外這麼苦，為什麼那麼多人爭着走出國門？這位朋友立即回答說：「苛政猛於洋罪。」

393 七八十年代中國大陸知識者的覺醒不僅因為他們發現了真理，而且因為他們發現了虛假：發現過去的一切都是假的：假的激情，假的呼喊，假的語言，假的宣誓，假的許諾，假的檢查與批判，假的熱愛與假的仇恨，假的歷史與假的現實。

394 現代奴隸主比古代奴隸主更聰明但也更嚴酷，他們除了使用牛馬之外，還創造了一套閹割奴隸心肺的技術，手上除了皮鞭之外，還常常提着一串從奴隸身上剝奪下來的思想。

395 高行健在《冥城》中描述莊子的妻子在人間無路可走，在地獄也無路可走，到了閻王們前也是滿懷冤屈，於是，她剖開自己的胸膛，把自己清白的心肺展露給主宰陰間陽間的權勢者。然而，主管地獄的權勢者的眼睛本就浸泡在黑暗中，他們看不到清白的心腸，淘盡肺腑也無法使他們感動，到了地獄才絕望的人比在人間時就絕望的人更慘。

396
互相撕咬，這是獸的本能，無須教育。相互妥協，這是人的性情，需要教育。

397
人在受騙時並不痛苦。痛苦的是明知受騙卻沒有不受騙的自由。社會給騙人者許多自由，還給騙人者以桂冠、寶座、光榮，卻不給不受騙的自由，於是，思想異端便無處存身。

398
我經歷過「以階級鬥爭為綱」的時代，深知這個「綱」乃是緊箍咒，乃是絞肉機。一個偉大的改革家把它打碎了，這便是解放，便是功德。我雖寫了許多二十世紀的咒語，卻願意當他的「歌德派」。

399
離開故國之後，我異常珍惜時間，再也不去理會那些批判，毀謗我的喧囂。我知道我的所有文章只是表達人類應當拒絕走向野蠻世界的情感，但他們卻對我的表達發出各種尖叫，我一直認為這種尖叫不是人類的聲音。

400 胃腸的虛空可使知識者消瘦，思想的堵塞卻會使思想者發瘋。思想者最悲慘的事，是被自己頭腦中淤積的思想所脹裂。

靈魂無須裝飾，但尋求表達。堵塞表達之路，靈魂就會呼叫、吶喊、抗議。

401 知識分子的人格結構是世界文明所建構的，它天然地不只屬於一個民族。在時間增值、地球變成一個村莊的時候，知識者的身份註定不只是一個國民，而且一定是個村民。任何人造的邊界，包括國界，都不能限制知識者思想的遊牧。知識者自創的思想路線一定重於國界線。從這一意義上說，知識者的國度乃是一個沒有國界的大村落。

402 在西方知識系統中，個人生活最重要的領域是政府控制不了而社會也不能干預的領域，政府已從這些公眾領域撤退。所以「人權」，最重要的便是這種隱私權。可是在中國，這個領域裏也處處是「指示」與「命令」。

403 知識階層是唯一靠能力和知識而生存的階層，而不是靠關係和權勢而生存的階層，所以特別寶貴，所以需要承擔連自己也沒有意識到的責任。知識人嚮往自由，但把責任視為自由的伴侶。了解這一道理並非易事。雨果在一八八〇年為

《雨果全集》所寫的自序中說：「經過漫長的歲月，一生辛勤勞動，飽經風霜，完全獻身於思想與行動，最後才明白這些真理、責任感，作為自由的不可分離的侶伴出現了。」

404

確信人的不完善，確信人寄以生存的世界的不完善，確信人所期望的情感的不完滿，才有寬容。

人性論

405 明知生育、分娩是一種痛苦，許多女子還是要擁抱這種痛苦，因為這種痛苦乃是「生命自然」的一部分。當孩子在啼哭中像太陽那樣升起，當交融着恐懼、疼痛、歡樂的眼淚像泉水從眼眶裏噴出，生命自然體便進入了大平靜，並被自己創造的小太陽的光輝所淹沒。這是人類自創的最柔美的光明。伴隨着小太陽升起的是母性的覺醒，這是另一種偉大的愛的誕生，是生命自然的一次刻骨銘心的體驗。

406 無論在東方還是在西方，我時時都等待着觀賞人的精彩：為真理而拋棄市場、名譽、地位。但等待到的往往是失望。世上為市場、名譽、地位而拋棄真理的人很多，為真理而拋棄市場、名譽、地位的人很少。人性世界中正負的比例可以從這裏知道一個大概。

407 守住美好的品格很難，在東方難，在西方也難。東方太多壓迫，西方太多誘惑。而「雙方」的人，卻同樣脆弱，既經不起壓迫，也經不起誘惑。既經不起「贏」，也經不起「輸」。我常陶醉於文藝復興時期人文主義者頌揚人的那些詩情語言，但在現實中卻看到：在權力面前與金錢面前，人總是突然失去光彩。

408 楊絳老太太的長篇小說《洗澡》，寫出了專制者的聰明。他們知道，為了讓人變成手中馴良的器具，必須淘空他們身上的腦汁、膽汁和心汁。沒有這些汁液，人就會變成像一根木棍那樣容易操縱。

409 因為世道艱難，因為生存競爭的嚴酷，人們為了爭得一個好職業、好位置，就無休止地自我膨脹，膨脹十倍、百倍、千倍，最後連自己也忘了本來的樣子，不知自己真有多少重量。僧多粥少，使僧把自己誇大成佛、成神、乃至誇大成佛王、神王。薩特發現：位置與機會的稀少會使人的存在發生變形。

410 金錢能填飽肚子，這一點知道的人較多；金錢能填飽腦子，這一點知道的人較少。現在社會的一切感覺正在麻木，最後只剩下金錢的感覺，就因為腦子被財富填滿了。跟着感覺走，就是跟着金錢走。金錢正在抓住所有神經，成為人類的唯一嚮導。

411 六七十年代發生文化大革命，熱火朝天之下是國家上層忙於爭奪旗手的地位，而下層則遍地是螻蟻似的打手與政治扒手。半是壯劇、半是醜劇的歷史事件使我警覺到：人間的騙子手都是在偉大旗手的名義下繁殖的。旗手與扒手可以結盟，還可以隨時進行角色互換。

412 靈魂的家園喪失之後，人們便用氣功、法術、道術、相命術，以及權術、心術、詭術來支撐自己的千瘡百孔的靈魂。但因靈魂已傷痕纍纍而無法療治，所以，詭術、權術、心術等便進入全盛的時代。

413 上一世紀，托克維爾在《英格蘭和愛爾蘭之行》中面對曼徹斯特的污染，就預言人性即將潰敗。他說：「從這污穢的排水溝裏流出人類工業的最大巨流，澆肥了整個世界；從這骯髒的下水道裏流出了黃燦燦的純金。在這裏，文明表現了它的奇跡，文明的人幾乎變成了野人。」托克維爾看到「工業進步、人性退步」的巨大現象，當今的世界，這種歷史的悲劇正在大量演出。文明人變成野人，可能是悲劇的終結。

414 美國散文家梭羅（《湖濱散記》作者）說，每個老年人都應當是研究生，將時間用於研究餘生。其實，每個人都應當是自身人性的研究生。我作為中年人，一面研究過去的自己，一面研究未來的道路。研究自身的難度並不亞於研究龐雜的歷史。要研究，就要解剖，就要開刀。自己對自己開刀不容易。

415 萊辛期待的英雄，叫做「有人氣的英雄」。可惜我見到的英雄多數缺乏人氣。萊辛描述這種英雄：他的哀怨是人的哀怨，他的行為卻是英雄的行為，二者結合在一起，才形成有人氣的英雄。有人氣的英雄既軟弱，又倔強；他們在服從自然要求時（情慾要求）顯得軟弱，在服從原則和職責的要求時卻顯得倔強。這種人是智慧所能造就的最高產品，也是藝術所能摹仿的最高對象。我看到的中國英雄一般都是有流氓氣的英雄。真有人氣的英雄很少。

416 《別問我是誰》這一影片的主角，在臨近末日時才緊緊抓住愛。男主角原先是憎惡「佔有」戀人的，然而，當戰爭把死神推到他面前時，他卻不顧一切地擁抱所愛，連敵我界限也不顧。他發現：人之愛，人之情，才是生命最後的實在。

417 歌德說過：一個人的缺點，源於他所生存的時代，而他的偉大與德性，卻屬於自己。我只贊成歌德一半的話。我不願意把自己的缺點歸罪於時代，而相信每一個人的生命都要靠自己去實現。即使生活在最壞的時代也可以成為好人。在嘲弄德行成為時髦的時代，滿街是擁有權力、金錢、功名的小矮人。儘管如此，儘管難逃矮人時代，但可以拒絕矮人心腸，更可以拒絕與矮人合唱。

418 朱光潛先生說：如果九十九個人都是妓女，你一個人偏要守貞節，你也會成為社會公敵，被人唾棄。易卜生的劇本《人民公敵》，寫的就是一個獨戰百分之九十九的孤獨者。這位大作家認為，孤獨者最有力量。

419 面具有毒。它不僅掩蓋真實的面孔，而且腐蝕真實的心靈。自救的第一要義是扯下面具。正如俄國的大導演塔可夫斯基所說的：「我們必須扯下面具，人性才能獲救。」

420 馬克思在《一八四四年經濟學——哲學手稿》中寫到：「痛苦如果是人性地把握着，那是人的一個自我享受。」痛苦可以孕育出最美的同情心和最感人的悲劇。我於痛苦中感到欣慰的是，覺得自己的靈魂確實踏着艱難的階梯在往着高處走，一步一步地靠近高遠的天空。特別是在經歷大痛苦之後，我覺得自己走出了貧乏的地表。

421 我要向康德致意。這不僅因為他告訴我人乃是「目的王國」的成員，還因為他用自己的創造表明，一切工作包括哲學思維都應當有助於人類去建立正常的人性狀態。康德研究者卡爾·維斯培說，康德的生命，是一種追求知識的生命，但事實上還不僅如此，他的生命存在是建立在一種堅定的人性之上。如果沒有一種決定的人性在他身上，他絕對找不到與天上的星辰一樣輝煌的地上道德律，也絕對發現不了那些保證人性健康的絕對命令。能夠敬畏道德如同敬畏星辰，能夠說出「天上星辰，地上道德律」這種石破天驚的哲理，這不是知識的力量，而是人性的力量。

422 二百年前（一七九七年），在一次哲學的論爭中，康德寫道：「如果我們的工作和理論的爭辯，脫離了內心的慈善，那麼這些東西對我們又有什麼好處呢？」年邁時，他的醫生進入他的房間，康德起身相迎，醫生阻止，康德說：「剛才那一剎那，顯示人性並沒有離我而去。」偉大的哲學家，到了生命的最後時辰，關心的還是人性是否丟失。在宇宙的時空中，個體在地球上的出現只是一剎那，在這一剎那裏，能顯示出扎根於生命中的美好人性，那就是最高的幸福了。

423 如何開展人生？這個問題始終困擾着杜斯托也夫斯基。基督說：「生命不是麵包主宰的」，他彷彿接受了這一真理。比麵包更重要的也許是自由。「人不能恍恍惚惚地生活，快快覺醒吧！」他的人物德米特里道出心聲。然而，人該如何擺脫「恍惚」，他想到：「當你來到世上時，就已和自由有了約定，因此是兩手空空而來的。」空空的兩手不是為了乞求麵包，而是為了自由創造，手是不能閒着的。醒來，是自由的醒來還是責任的醒來？我想該是兩隻眼睛同時張開吧。杜斯托也夫斯基想到的大約也是兩隻眼睛同時醒來。

424 如果不是用人性的視角去反省過去，就會認定以往一切的歷史錯誤都在於暴力革命不徹底，結果愈反省，這個世界就愈是暴虐，手段也愈是殘忍，離開人的善良與慈悲也必然愈遠。

425 公元四十三年就出生的羅馬詩人奧維德所作的《變形記》，寫了二百五十多個變形故事。人最後不是變成獸類便是變成鳥類、樹木、花草、石頭。少年時聽這些故事，覺得很離奇，現在讀來則覺得平常。因為自己就看到許多人變成野獸，變成石頭，變成草木，變成禽鳥，而且還看到人一旦獸化之後，牙齒全都鑲嵌着文明的金皮，並比野獸的牙齒更為鋒利。

426 人的本性難以改造，惡難以抗拒，無論訴諸暴力還是訴諸温情都難以變動，所以只能尋求寬容。

叔本華說人是自食的狼。人的自食超過任何動物，尤其是精神自食。自作賤、自作孽、自滿、自負、自虐、自欺、自我奴役、自我欺騙，當代中國自食的深度，達到撲滅心思的一閃念。

427 愛鄰人並不容易，鄰人幫助你，你會愛他。鄰人妨礙你，就不容易愛他。世界上最難受的是與你生活在同一時代同一地區但又不斷指責你挑剔你的人。但只要他是人，你就有愛他的理由。

托爾斯泰宣揚愛，但他的愛並不抽象。他曾說：最大的罪過，是人類的抽象的愛，愛一個離得很遠的人，愛一個我們所不認識的、永遠遇不到的人，是多麼容易的事，而愛你的近鄰——愛和你一起生活而阻礙你的人，則是很難的。

428 內心的緊張使自己感到累，但也會使你感到人性尚存的驕傲。肉人、傀儡人、忍人等，都沒有內心的緊張，沒有弗洛伊德所說的那種本我、自我與與超我的衝突。

429 薩特對虛無始終存在着焦慮，捷克的作家昆德拉則是對「輕」表達焦慮。在虛無中，人們贏得自由又感到不自由。不自由給人以壓迫感，自由（輕）也給人以壓迫感，人永遠處於心靈困境與人性困境之中，世界應無不知焦慮而深刻的人。

430 毛澤東去世時，似乎征服了一切，征服了他的敵人，他的戰友，他的國家元首與元帥，他的千百萬知識分子，但是，他死後卻什麼也沒有征服，他的敵人還到處都是，他的戰友還活得很好，他的繼續革命對象重新變成革命動力，他的知識分子一個個從牛棚走向人間，他們正在訴說動物界難以征服，人類界更難征服。

431 朋友在遙遠的彼岸，在我曾用全副身心擁抱過的土地上。我深深地懷念他們。幾年前，我知道自己與他們拉開了大約有一萬里的空間距離，此時又發現，我與他們拉開了可怕的無邊的時間距離。時間沒有堤岸，時間更殘酷。

432 阿Q總是在欣賞自我景觀，所以絕對不會想到人應當學會自我反省和自我解構。自我解構使人意識到他人身上的黑暗同樣存在於自身，一切惡對我都是可能的。

433 人時而理性時而任性，既有建設力，又有破壞力；既容易勃發野心，又容易灰心喪氣；既嚮往榮華富貴，又怕艱苦奮鬥，所以人要永遠保持天真天籟就特別難。

434 獸的原則：咬死同類，然後自己活下去。人的原則：保護同類，讓同類和自己一起活下去。然而，讀了中國的酷刑史，便會知道，許多人的行為，是最凶猛的野獸也不會幹的。

435 攻克巴士底獄的第一個人是流氓，許多皇帝、總統、元首和革命家原先也是痞子、潑皮和流氓無產者。所以不能概念化地理解活生生的人。

436 對人生看得不透，常會發生狂熱；對人生看得太透，又會變得冰冷。我既害怕瘋子，也害怕冷人。

437

不能超越自身的黑暗，就註定要生活在憤怒、嫉妒、猜疑和算計他人的煩惱之中。暗無天日的歲月，常常是自己造成的。自己可以變成自己的絞肉機。

438

會憂傷，人才美。淘盡了人性的憂傷，會使人變成冷漠。人在病中顯得懦弱，但懦弱會使人格顯得更為完整。托爾斯泰說：「在精神的價值上，病的狀態比健全的狀態是優越得多了，不要和我談起那些沒患過病的人們，他們是可怕的，尤其是女子：一個身體強壯的女子，這是一頭真正粗野的獸類。」托爾斯泰說得過於極端，但女子的懦弱與憂傷絕對是人性美所必須的。

439

托爾斯泰在他的日記中記載內心的三種魔鬼：一、賭博慾：可能戰勝的。二、肉慾：極難戰勝的。三、虛榮慾：一切中最可怕的。

三種魔鬼都可能導致人生的失敗，但最後一種慾望則註定使人失敗。一生都像爬蟲在名利的高牆上爬行，一生都充當時尚的奴隸，一生都忙於讓人欣賞和忙於博得他人的好評與「提拔」，這才真正輸給魔鬼。

440

女兒生日的時候，我覺得必須對自己最心愛的生命表達一種希望，於是，在生日卡上這樣對她說：但願已被世界蔑視的真、善、美，永遠不會離開你，但願這三項永恆的無價之寶，永遠像金項鏈一樣佩掛在你的胸前和你的心中。

441 人類思想巨人，不僅給我智慧，而且給我面對人類生存困惑的理性和衝出這些困惑的熱情。所以我對思想大師始終懷着雙重感激。中國本世紀傑出的精神志士，在我懂事之後，有的死了，有的還活着。可惜活着的，其精神一個一個被強大的政治所閹割，我一直看不到他們挺直的脊梁和人格的火炬。所以，我並未因為與他們生活在同一時代而衷心自豪。

442 湯馬斯·卡萊爾在《論英雄和英雄崇拜》中說：「人的痛苦總是由自己的偉大之處所引起的。」[16] 信念與愛，這是人的偉大之處，痛苦是由於堅守這一切而產生的。犬儒主義者只有聰明，沒有痛苦；他們雖有幽默，但沒有信念。

443 好文學有血脈的真實跳動，沒有矯情。靈魂很小而架子很大就佈滿酸氣。文人的酸氣會腐蝕思想。鄭重的思想有苦味，有鹹味，有辣味，但沒有酸味。

444 人的情感不可分析，即「不可云證」，但情感又是人的最後實在，它是人活着的一種證明，因此，只有情感才「斯可為證」。

16 〔英〕托馬斯·卡萊爾：《論英雄和英雄崇拜》（北京：中國國際廣播出版社，1988），頁 209。

445 政治、文化、文學都在講究策略，做人也講策略。然而，講策略的人愈多，世界就愈失去真誠，文學就愈顯得蒼白。本世紀末的特點正是思想太少，策略太多。

446 讀了《聖經》之後，覺得上帝最高的創造不是天使而是人。因為他按照自己的面貌創造了人，而且給人以最高的贈品，即自由意志。天使雖然純正但沒有思想和自由意志。

447 在六七十年代，當大革命潮流沖走了一切誠實和善良的時候，我對那些仍然帶着羞愧的眼睛抱有信任感。

448 偉大到如同愛因斯坦的生命，絕不會有嫉妒。真正攀上生命高峰的強者，像阿波羅神一樣，絕對平靜。

449 我不是明燈，也不是天生就帶有光明的螢火蟲，而是一塊火石，只有經過打擊才會產生光芒。我在他者的錘打中感到過痛苦，但沒有仇恨，因為打擊者也幫助我產生思想。

450 快樂是一種消耗，苦難卻是一種積累。苦難除了給我積累下書本裏讀不到的智慧外，還為我積累下真誠的兄弟和朋友，他們宛如星辰，永遠可靠地伴隨着我的心靈。

451 人需要人際溫暖，但不需要過於沉重的人際關係。太沉重便成了牢獄。簡化人際關係，才能深化情感生活和深化精神生活。關係的高境界，並非實境，而是空境。

452 身上有無數的自我。有數不清的善的自我，也有數不清的惡的自我，還有數不清的非善非惡的難以命名的自我，每次選擇，我都聽到內心的爭吵。每次爭吵，又使我感到人性的豐實。存在主義者講「選擇」，其難點不是身外的選擇，而是身內的選擇。所以我說：「為主為奴，操之在我。」

453 史提芬·霍金在《時間簡史》中說，宇宙的邊界條件是它沒有邊界。宇宙是完全自足的，它不被任何外在於它的東西所影響。它既不創生，也不被消滅。它就是存在。我讀這部書時想到：人的內宇宙也是一個無邊界的存在。它也獨立自足，也有不斷創造的可能。

454 生命成熟了，於是由熱變冷。冷不是陰沉，而是冷靜。不是冷漠，而是冷觀。把熱能凝聚於生命之中，讓它化作更大力量，然後去駕馭萬物萬有。冷靜不是化解生命的激情，而是找到生命激情的存在形式。

455 「天上星辰，地上道德律」，我喜歡康德這一觀念。因為他敬畏道德，就像敬畏天上的星辰。道德如此偉大，道德律顯示了獨立於一切獸性甚至獨立於整個感官世界的一種生命。道德律不是教條，也不是法規，而是生命。這種生命把人的整體提升到與星辰並重的崇高境界。

456 思想一旦枯萎，就把生命懸掛在過去的光彩之中。像一束乾花，只能向人們顯耀往昔的光榮。所以愛默生說，唯一有價值的，是擁有活力的靈魂。

457 每一個人都可能是一座地獄，但每一個人都想把別人拉入自己的地獄，讓自己擺佈。人類統治他人的慾想沒有止境，連處於乞丐群中的人都想充當丐幫的幫主。那些從來也進入不了思想深處的人，一直在設法讓所有的思想者都服從自己的號令。人的統治慾難以遏止。許多冒充「救世主」、「社會良心」的知識人，背後燃燒的其實是領袖的慾望。

458 說世界之心是好的，這是對的，它確實關注着人的生死，牽掛着人的傷痛，焦慮着人的困境；說世界之心是壞的，也是對的，因為它時時都滋長着貪婪、野心和虛榮，許多美好的生命遭到毀滅，它也無動於衷。

459 在激進的時代裏，愛和人性作為罪孽被無休止地審判。愛所驅策的靈魂被打擊得遍體鱗傷，每個人都張牙裂嘴地嘲笑愛的的字眼和愛的意義，我因為無法從心底驅趕愛，結果，總是過着充滿恐懼的日子。社會給我的榮譽一直消除不了階級鬥爭時代留下的餘悸。

460 奧古斯丁發現人類生活中處處充滿愛。一個人的所作所為，甚至包括罪惡都是由愛引起的。怨恨、不貞、犯法、謀殺也因為愛而產生。但人類不能停止愛，因為愛停止了，就等於僵化、死亡、低賤、可憐。因此，問題不在如何消除愛，而是如何淨化它，提升它。排除濫情，去愛值得愛的東西。

愛雖也會引起罪惡，但把愛作為罪惡本身，則是極大的錯誤。因為愛首先是導致善與美。把愛作為罪惡加以打擊的結果，便是把世界留給黑暗與黑暗中的蛇蠍。

461 當我們的身體感到疲倦的時候，尤其是心靈感到疲倦的時候，唯有愛能重新喚醒躺倒的精神。辛苦的人生之旅，如果沒有愛的溫柔之鄉可以棲息，人便沒有身體的健康，也沒有靈魂的健康。

462 魯迅想療治的國民的靈魂，揭露的是民族的病根，關心是中國人的問題。而高行健關心的是所有人的問題，不僅是中國人的問題。所有人的身體與靈魂，便是普遍人性。魯迅診斷中國人之後發現中國人的靈魂沒有一個是完整的，所以他絕望，連梅蘭芳也罵。高行健發現所有人的人性都是脆弱的，所以也不敢寄以厚望。

463 托爾斯泰臨終前幾年，他不是欣賞自己創造的精神山嶽，而是不斷地向世界強調他並非聖者，而是犯過很許多錯誤的凡人。他說他怯弱，常常不能說出他所思想、所感覺的東西，雖願伺奉真理，但永遠在顛蹶，如果人們把他當作一個不會有任何錯誤的人，那麼，他的每項錯誤將顯得是謊言或虛偽。

我在托爾斯泰對人性脆弱的自我確認中看到他的強大，在他的真誠懺悔中看到他對人類無條件的愛和至死也不放棄的責任與義務。

464 本世紀的大物理學家史提芬·霍金，他的人生是生命的奇跡。他在《黑洞與嬰兒宇宙》一書中為了表述自己的思想，修正了伏爾泰小說《憨第德》中的一個名叫潘格洛斯的角色，這個人物的名言是：「我們生活在所有可以允許的最好的世界中。」霍金則認為應把這句名言改為「我們生活在所有可能的世界中最有可能的一個世界。」[17] 修正後的思想，激勵人們去爭取最有可能的一個世界，而永遠不承認「不可能」。

465 我所愛的幾個朋友在憂鬱中死了。死在自己的夢裏。死時夢還沒有醒來，他們與夢一起消失。消失得靜悄悄。我也差些死在自己的夢裏，即思想差些僵死在烏托邦的幻夢中。夢是太陽，夢也是墓地。

466 不斷咀嚼黑暗，不斷地翻閱那些沒有星光的冬夜與夏夜，那些裸露的野蠻和深藏着文明的最後嘆息，而且常常想起海德格爾的話，一個時代的貧乏，就在於缺乏對痛苦、死亡和愛的本質的揭示。黑暗剝奪過我，但黑暗也充實了我。

467 魯迅小說《狂人日記》的時間觀是直線的。狂人不對過去懷抱希望，只對未來懷抱希望，所以他呼籲「救救孩子」。但是把希望寄託於孩子身上的人，一旦發現孩子也不可靠時，就會感到絕望。

17 史提芬・霍金，吳忠超、杜欣欣譯：《黑洞與嬰兒宇宙》（台北：藝文印書館印行，1955），頁61–62。

468 阿Q的生命沒有出路。但他還是頑強地找到了兩種出路，一是在過去的時間中去感悟祖宗的光榮，即認定「先前比你闊多了」；二是在未來的時間中去幻想自己的豪邁，即幻想二十年後還是一條好漢。阿Q的悲劇是喪失生命的現在時間形式。

魯迅為了堵塞阿Q們回到過去的時間中，便讓「狂人」宣佈過去全是黑暗，全是吃人的歷史，那段時間中沒有任何光榮。但是，現代的阿Q們卻仍然抓住過去的時間以掩蓋今天的匱乏。所謂「憶苦思甜」，便是為了掩蓋此時此刻的貧困與缺陷。

469 魯迅也逃亡。他逃到租界與半租界，逃到自造的避難所，「躲進小樓成一統」。專制的陰影無孔不入，有獨立思想的作家總在逃亡，所以我說作家詩人從本質上說，都是精神的流浪漢。

魯迅一點也不浪漫。他一面「橫眉冷對」，解剖社會；一方面則對自己「冷嘲」，解剖自己。他本是醫生，療治國民靈魂時也用冷峻的解剖刀。心中蓄滿激情，但沒有浪漫氣息。

470 海灘上一次偶然的相逢，刹那間留下令人心醉的美麗印象，像打字印到白紙上的鉛字，任歲月的淘洗也抹煞不掉。但是，那一瞬間過去，笑影消失，任千萬次潮生潮湧，也帶不回那記憶中的微笑。無盡的時間不知吹拂了多少年代，才把她送到這一點上，轉眼間，無盡的空間又把她送到永遠難以尋覓的歷史深處。人生在這一相逢之後，才感到真正的大寂寞。

471 每一個早晨都是我的起點，每一個黃昏也是我的起點，因為黃昏之後的夜晚，我仍然在做他人未曾做過的事，也在寫着自己還沒有寫過的文字。黑格爾説過，貓頭鷹總是在黃昏時起飛。在黑暗中，我的思想往往飛翔得更好。

472 我常告誡自己，不要像在峭立的牆壁上拼命爬行的小蟲，不要為了那些掛在牆壁上的桂冠而日勞心拙。生活需要勤勞，但不需要爬蟲似的辛苦。

473 不能要求人們都去充當烈士，但應當敬愛烈士。烈士把生命的意義看得高於生命本身。為了更高的意義，為了真、善、美，他們去戰死，去犧牲，去毀滅，這才形成悲劇，也才形成支持世界不會墮落的紀念碑。

474 良知並不隨着文明的腳步而進步，它是伴隨着人類而來、植根於內心的一種優秀品質，這種品質的火焰常常會燒毀現代人瘋狂追逐的目標，但它也常常會被這些目標所燒毀。歷史的前行總會付出良知的代價，但要求盡可能少付代價，也屬天經地義。

475 我不喜歡尼采的超人哲學，因為我身心中最深層的情思連結着構成世界基石的平常人，而不是「超人」。但我喜歡尼采絕不向生活屈服的精神。他說：什麼都行，就是不能做個失敗主義者。人難免失敗，但失敗只是邁向更高人性的階梯，而不是放棄人生的目的地。我把尼采的話簡化之後，激勵自己說：什麼都行，但不能停留。

476 高行健的《生死界》通過一個女人的獨語，表現一個女人的生命世界。她審視過去，否定「人生如夢」和「命中註定」等兩大消極命題，而給人生之謎作出這樣的回答：唯有信守心中所存的一絲幽光，才能免於毀滅。

人生最難的是保持這點若明若暗的幽光，在歷盡滄桑之後仍然相信生命的本體就是生命深處那一點任何時刻都堅持燃燒的火焰。即使未來化作一縷幽靈，也不承認黑暗就是生命的全部。

477 政治運動在每一個人面前製造了一個無底的深淵，人們隨時都可能被拋入深淵。這是一種深淵的威懾。蘇聯教育家蘇霍姆林斯基曾說過，人一旦習慣於生活在恐懼與威懾之中，就會在道德上變得卑鄙、偽善和阿諛奉承，即變成一種殘酷的、沒有心肝的生物。恐怖的深淵會如此影響人性，中國知識人均有所體會。

478 生命過程是克服困難的征服史。征服無知，征服苦痛、貧窮、貪慾、挫折，征服人造的懸崖和自己身內的壁壘。所有的征服都難以仰仗別人，只有自己才是這一征程的將帥。王陽明說：「破山中賊易，破心中賊難。」最難征服是還是自己心中那些無窮盡的慾望。

479 英國王妃戴安娜車禍身亡之後，在她的追悼會上，大牧師說，人間三樣東西是最寶貴的：信念、智慧、愛，而三者中居於第一位的是愛。不錯。愛是信念、智慧的前提。沒有愛，信念就會變成對人類實行壓迫的教條，沒有人性基礎，智慧也會變成導致人類災難的心術與權術。

480 人因為不甘心泛泛地做人，泛泛地生活，所以才讀書，才思考，才進取。詩、散文、小說、戲劇，還有一切偉大的藝術，都在表達不願意泛泛做人但又難以做一個真人的大困惑。

481 人不是為虛榮而存在，而是為快樂而存在。自由是快樂，為社會服務是快樂，為人類的共同期待而犧牲是快樂。只要覺得自己的所作所為乃是真實的生命存在，苦鬥也是快樂。

482 荷馬雙目失明，但創造出人類最偉大的史詩；博爾赫斯也雙目失明，又創造出二十世紀的史詩。盲、聾、殘廢，常常是一種天機。來自天國的無限光明點燃了聾子與盲人的內感覺，使他們不受外界的五顏六色所干擾，而把內在的體驗與思想發揮到常人難以企及的水平線。

483 人生雖然辛苦，路途上雖有無數坎坷，但我們還是樂於走下去，這是因為旅途中有着許多美麗的瞬間。這瞬間，有時是靈感的洶湧，有時是科學的發現，有時是跋涉的完成，有時是渴望已久的歌聲自天而降，有時是和思念中的友人突然相逢。

484 虛偽使人不斷變換面具和變換生存技巧，從而使人喪失全部天真天籟。沒有一種品格比虛偽對人性的腐蝕更為嚴重。

485 反抗社會時，首先應反抗自身。質疑社會時，也要質疑自我。自我還是一團漆黑，一片渾濁，卻大叫改造社會，這個社會一定愈改造愈多邪惡。

486 馬雅可夫斯基在他的短詩《夜》中，這樣形容人群：「人群／腿腳敏捷的花貓／彎着腰遊動／鑽進各自的大門。」人群確實敏捷，但從來沒有站穩過腳跟。昨天趙家是豪門，它往趙家走；今天錢家是豪門，它往錢家走。變動的人群，是跟着感覺與情緒奔走的臨時集合體，所以它聚得快，也散得快。「一轟而起，一轟而散」是人群的宿命。

487 人在難以生存而又有強烈的生存慾望時，就會把慾望表現為攻擊性。此時，人身上會長出老鼠的牙齒，狼的胃，豹子的爪子，蛇的毒液。孔子講「仁」，就是講人與人的關係必須有「仁義」、「恕道」、「温良恭謙讓」等。他老人家大約深知人性的一大特點是攻擊性。仁乃是對攻擊力的抑制。如果天地不仁，就會視百姓為豬狗，如果人類不仁，就會視同類為豬狗。

488 走在群體後面的人會感到孤獨，走在群體的前面也會感到孤獨。真的先鋒在前方披荊斬棘後，一定會感到寂寞。因為他離眾人太遠。覺得「高處不勝寒」，也是因為離眾人太遠。

489 由於貧窮而出賣自己的人（如妓女），我已難以同情，而對於富裕還出賣自己的人（如某些為了政治地位的富豪），我則更是鄙視。因為他們太貪婪，什麼

490 人性極不可靠，既經不起打擊，也經不起誘惑。西方早已看到這點，所以崇尚法律；中國老是看不透這一點，所以崇尚人治。

491 阿里士多德在《論靈魂》中區分了靈魂的營養能力、吃食能力、感覺能力和思維能力，認為植物只具有第一種能力，動物具有第一、第二和第三種能力，而人則擁有第四種能力。這部著作告訴我們：人類從它最早的哲學大師就知道，具有動植物所沒有的獨特思維能力，這是人類的最值得驕傲的特性，失去這一驕傲，人類便沒有光彩。

492 約瑟夫・康拉德（Joseph Gonrad）說，文學藝術是將最高的正義給予有形的世界的一種嘗試，它試圖在宇宙、物質及現實生活中找出基本的、持久的、本質的東西。康拉德所說的這種基本的、持久的、本質的東西，就是人性。

493 斯賓諾莎不把人性的弱點和情緒視為人性的邪惡。他對弱點理解而不嘲笑。寬容便從這裏開始形成。古希臘哲學家德謨克利特經常嘲弄人類的自負與愚蠢，但斯賓諾莎說：「我力求理解人的行為，而不是嘲笑、哀嘆或咒罵人的行為。因此我並不把人類的激情，諸如愛、憎、憤怒、嫉妒、驕傲、憐憫和擾亂人心的其他情緒看作人性的邪惡，而是看作人性所固有的一些特徵，這正如熱、冷、暴風雨、雷鳴，以及諸如此類的現象屬於大氣的本性一樣，這些現象雖然不利於人的活動，但他們是必然的特性。」（《政治論》第一章第四節）。

死亡雜感

494 我的朋友李澤厚在六十八歲的時候對我説：我已經假設自己死了。既然死了，那麼「身後是非誰管得，滿村爭説蔡中郎」。有了死亡的假設，的確可贏得許多自由：死了還怕什麼、計較什麼？還怕世間的暴虐、專橫和宰割嗎？還追求世間虛幻的名聲、地位、榮耀嗎？還管人們的蜚短流長、還為他人的討伐、批判、污蔑憂煩嗎？一切都會消失，只有此時的情感、情懷和好奇的眼睛是真實的。平靜地走着腳下結實的路，能走多遠就走多遠，走不動就歇歇腳，不要急，不要慌張，更不用欺騙別人和欺騙自己。

495 科羅拉多高原的十月，秋意正濃，我依然在早晨與黃昏裏澆花割草。明知冬季將臨，明知下個月鵝絨似的大雪將從洛磯山那邊滾滾而來，明知百花凋謝不可避免，但我還是努力灌溉，把握住此時此刻的美與快樂。此時此刻，鶯飛燕舞，小鳥啁啾。草葉與樹葉映着霞光雲影，秋菊開得像金色的向日葵，天空藍得像夢境，豔陽絢麗的光華透過密葉，漏落在草地上。竹棚裏的肥瓜垂掛着，像雕塑，彷彿是假的。我只顧沉緬於當下這一刻。人們在準備過冬的衣服時，我準備着在冬天裏可以微笑的記憶。

496

這一刻，我和你相逢。這一刻，是如此簡單，又是如此不簡單。昨天是西方，今天是東方；往昔是高山，現在是流水；那回滿頭蒼翠，這回鬢髮如霜。天地悠悠，時空無常，同族同類千萬億萬，而我們竟能在此見面，共此月色，共此星光，這是怎樣的偶然，怎樣的神秘，怎樣的幸事？對於這一刻，你說：活着多麼好。儘管肩挑重擔，腳踩污泥，活着多麼好！對於這一刻，我說：這一刻意味着我們已經戰勝許多死亡。

497

那一個危險而逼近死亡的瞬間，又是一個具體而圓滿的瞬間。在這個瞬間裏，我作為自己的衞士，保衞了自己的肺腑和肝膽。在生的誘惑與死的威脅中，人格最容易崩潰，但我保衞住人格。於是，這個瞬間便成為詩意無盡的瞬間。在第二人生中，我從一個詩意無盡的瞬間開始。想到這一點，我就對人生充滿愛意。

498

天亮了。又要迎接一個清新的黎明，又在晨光中提起筆。提筆的一刹那，我意識到，像流亡的星辰我又穿越了一次暗夜，經歷了一次覺醒。剛剛蘇醒的腦子很好，昨天的感悟尚未消失，新的思緒又像朝露一樣明晰。我提醒自己，要珍惜。在穿越昨天的黑夜時，許多智者與愛者已經死亡，而你還倖存着。你從死神的掌心中僥倖走出，贏得死者們曾經渴望過的尊嚴與自由。不要荒廢任何一個早晨，不要讓任何一縷晨光從你身邊流逝。

499 幾位至親至愛友人逝世的時候，我為死者哭泣，覺得從身上掉落的不僅是幾滴淚水，而是我自身生命的可以觸摸得到的鮮活的一角——生命的一部分，伴隨着朋友而死亡。在那一瞬間，我真切地感到身上有一種東西崩塌，這是物質性的失落。

500 也許人最深邃的慾望是存在的慾望，因此對死亡總是懷着恐懼。如果存在狀態過於痛苦，存在的慾望不強，死的恐懼也許會減弱。自殺者以自身的行為語言告知世界：他已對死亡無所畏懼。因此，一般地說，富裕者、成功者、權勢者更怕死。大人物未必不是膽小鬼。

501 林黛玉在臨終前百感交集，自焚詩稿。晴雯在與寶玉訣別時說：「早知今日，何必當初」，剝下指甲贈與知己。美的死亡是美的最後顯現，它比美本身更美。它讓人更深地感知到美的價值。落葉、落花、落日，常常比葉子、花朵、太陽本身更美更讓人激動。

502 有些哲人說，死亡沒有種類，而我卻看到死亡的無數種類。死亡具有不同的質。有的死亡是善的完成，有的死亡是惡的完成，有的是美的完成，有的是醜的完成。最後一種是醜劇的落幕，讓許多人都會鬆一口氣，他的生是罪孽，死則是貢獻。

503 屈原、陶淵明、杜甫、蘇東坡、莎士比亞、哥德這些偉大的詩人顯然沒有死。他們不僅仍然擁有生命，而且每天都在給予生命。我每次走到書架前去和他們見面，都覺得相見後自己有所變化，他們顯然又改變了我身心的某一角落或某一形式。

504 叔本華說人總是在繞過暗礁，但是，繞來繞去還是繞不過最後一個暗礁，這就是死亡的暗礁，任何偉大的舵手都無法領着我們繞過死亡的暗礁，人類的悲劇是最後總要觸礁。儘管結局已定，但人類還是一代代迎着風浪繼續航行。人類畢竟是偉大的悲劇家。

505 生命不是整體性死亡，最先死亡的是那些沉睡不醒的部分。久不思考的生命，久不更新的靈魂，就是先死的部分。只是能意識到部分死亡的人很少，多數都以為死亡是一次性的、全域性的、飛躍性的。

506 儘管每條道路都通向死亡，但還要繼續前進。墳墓告訴你生的結局，但埋葬不了你生命的全部結果。生的果實是抗拒死的唯一武器，所以人的創造慾望總是難以泯滅。

507 儘管天天吃人參和天天在身體上注入補品，但生命還是一天一天地走向衰朽，一天一天離墳墓更近。擁有百萬大軍的將軍甚至擁有江山政權的帝王，也無法消滅死亡。唯有能夠給心靈以美好積澱的文字、圖畫和精神創造物，它能比肉體生命更長久。

508 莊子認為死是不真實的：死只是歸於自然、融入永恆。曹雪芹則認為死是真實的。人一死，一切都「了」。以為不真實，沒有眼淚；以為真實，便是十年辛酸淚。

509 一切都是瞬間，再美的花朵也要凋謝，再輝煌的筵席也難持久，再偉大的人物也要化作一把骨灰。曹雪芹以人生根基的不可靠來認知人生。於是，他沒有幻想，也不製造新的幻想。

510 林黛玉如果沒有死，她就會像托爾斯泰筆下的娜塔莎——嫁人，生育、肥胖，在庸俗的社會中失去原先的自己。林黛玉因為死，她才留下永恆。死，會把「生」化為永久的美麗的雕塑。

511 黃仁宇先生的《萬曆十五年》，說明一切人，從萬曆皇帝到首輔張居正到一切宦官皇妃宮女，都是歷史的人質，正如古希臘的「伊底帕斯王」說明一切人都是命運的人質。天網恢恢難以逃遁，多數人都逃不掉歷史的羅網與命運的羅網，能逃脫的，便是英雄。人質是傀儡，是賭博的物質。宮廷裏的生活主流，就是政治賭博，勾心鬥角歷來如此。

512 人的生命有限，語言不過是阻止死亡的一種生命延續，但它仍然是有限的，把語言誇大為無限是白日夢。

513 日本人崇尚櫻花，崇尚武士道，講究瞬間的直覺、瞬間的把握、瞬間的穿透，不相信長期的功夫，我相信瞬間的超越，但又相信瞬間的超越必須借助於長期功夫的積澱。

514 日本武士道精神的信仰者，一生精心策劃的大事就是一個死。死是目的，死就是美。對恐懼的超越就是美。死不是達到某種功利的手段。

515 死是枯竭。但死也是源泉。它是哲學家的思想的源頭。海德格爾的哲學之源就是對死的大徹大悟。孔子說：「未知生，焉知死」，海德格爾的哲學是孔子的反命題：「未知死，焉知生。」我從海德格爾的哲學中贏得更多的力量。當我明白死亡是一種不可抗拒的限定時，我便一直在限定裏盡可能讓生命放出光明。

516 因為人會死，生命才贏得意義。青春、勇敢、獻身、時間等美好的字眼才贏得意義。如果人不會死，生命有什麼可珍惜的？時間有什麼可珍惜的？青春有什麼可珍惜的？死亡不僅界定了生命，而且界定了生命的意義。西蒙·波娃的《人總是要死的》，寫一個長生不死的福斯卡，悟到不死使他失去了戰士的光榮、女子的愛情和生存的樂趣。存在主義哲學家與俗人對於死亡的恐懼不同，他們有一種對「不死」的恐懼。

517 有些哲人說，死亡是一種轟動。的確，有些人的死亡是種轟動。但是，不求死亡的轟動，打消死可以「重如泰山」的妄念，可以帶給生時更多的從容和快樂。老是想到死的轟動，難免要落入生的虛榮。

518 我尊重上帝與基督，卻不願意成為教徒。因為我所確定的生活目的，不是死後可以順利地走入天堂。也就是說，我的生不是為了死——為了死後的幸福。我確定的人生意義是此生的意義，是此生此世我的工作和我的工作過程之美。

519 人死了之後，靈魂就像隕石似地不知掉落在什麼地方。在廣袤無邊的天地之間，不知何處可以尋覓。倘若能夠掉落在幾位真誠仁厚的朋友心中，就沒有什麼可遺憾了。如果能掉落到後世知音心中，就更值得高興。朋友與知音，就是靈魂的故鄉。

520 看到一具人的屍體，會突然使我們嚴肅起來。人對死不敢輕狂，但在生時輕狂的人卻很多。發現生的價值，往往在死的一剎那。「死亡」，其實是人生最好的課程。

521 在過去的時間中，我有過身心的局部死亡，例如暈倒過去後一部分記憶消失了。在未來的時間中，身心還要繼續死亡。因為有過局部死亡，我贏得了「清醒」，看見了自己怎樣逐步衰朽，怎樣掙扎，從而及時地打破了自我的偶像。

522 人們都以為死亡之後一了百了，從而可以得到安寧。但是中國的文化卻使得善良的百姓生時無路可走，死時也無路可走。魯迅筆下的祥林嫂，就是一個被判定為死後也要被兩個男人用鋸子爭奪她的身軀的女性。

523 賈平凹筆下的一個人物，只迷戀着兩種東西，一是已經死亡的時間，這就是過去；一是必將死亡的象徵，這就是棺材。她的焦慮是在她變成了殭屍之後是否有一個較好的小窩。

524 「誰能拯救我脱離此死滅之身？」《新約·羅馬書》這樣提問。美國的作家兼思想家威爾斯（Herbert George Wells）作為無神論者，他認為拯救者可以是自己。因為自己的肉身裏包含着思想，而你的思想顆粒可以成為人類思想巨流的一部分。他相信早已形成的人類的思想、知識和意志的大江大河是永遠洶湧澎湃的，此江此河不會死亡。而我們一旦成為這江流的一部分，便可脱離死滅。我喜歡把死亡視為確定的哲學，也喜歡把死亡視為不確定的世界觀。

525 德國存在主義詩人里爾克（Rainer Maria Rilke）因被一朵玫瑰刺傷而致血癌而死，這使我想到：死亡也可以是一首詩，可以死得很美。

莎士比亞筆下的許多人物的死亡都是一首詩：如羅密歐與茱麗葉之死，哈姆雷特之死，埃及女王克莉奧特佩拉之死。曹雪芹筆下的許多女子的死亡也是一首詩：林黛玉之死，尤三姐之死，晴雯之死。她們死得如泣如訴，如詩如畫。

我國偉大詩人屈原投江而死，他的後世同胞惋嘆千載，並把他的死日定為端午節，這也因為，他的死亡是一首詩。屈原之死是一首詩，無可爭議；王國維也投湖自盡，但他的死亡是不是一首詩還有爭議。可見，死的意義與生的意義相關。自殺容易構成一首詩，因為它可以選擇，但自殺不一定都有詩意，尤三姐的自殺是詩，而她的姐姐尤二姐的吞金自殺卻不是詩。

被他人所殺，被權力與社會所殺也可能是一首詩。基督被釘上十字架而死亡，就是千古絕唱，最動人的不朽的偉大詩篇。布魯諾、伽利略等科學家被燒死，也是偉大詩篇，摧人落淚的詩篇。

日本現代的大作家三島由紀夫筆下的主人公剖腹自殺，整個過程，顯然是一首詩，可惜這些死亡之詩，好像是刻意寫成的。

林黛玉在臨死之前，焚燒了所有的詩稿，這些文字的消失沒有什麼可惜，沒有一首詩比得上她的死亡之美。凝聚着人間最真最深的情感的眼淚，包含着人間至真至美的情感的死亡，永遠是天地間最動人的詩篇。

526 許多感人的作品確如劉鶚所說：文學乃是哭泣。有情人常被自己的眼淚所淹死，靈魂就安葬在自己的眼淚裏。林黛玉到人間來「還淚」，還了債之後就在淚中沉沒，埋進眼淚的海底。機器人沒有眼淚，政客沒有眼淚，劊子手沒有眼淚，蛇蠍沒有眼淚，只有人擁有眼淚。人性世界何時喪失最後一片綠洲而變成沙漠，就看何時人類失去最後一滴淚。

527 九年前的那一次劫難對我永遠是清新的。這一年命運給我的提醒超過以往幾十年。它提醒我：死亡隨時都會到來，死神不在縹渺的它鄉，它就在你的身旁。隨時都可以發出死亡的通知。明白死神不在遠方，就不敢偷懶。

528 我的讀書寫作，很像在水中下沉。時深時淺。沉到深處時，才有快樂，心情也很好。沉不下去的時候，就不安。我發脾氣，只是因為此刻浮在水面，失去「沉浸」的快樂，並沒有其他原因。

529 久不思考是生命的一種死亡形式。可以說，生命的死亡是從不思考開始的。人最後關閉心臟的大門，但在這之前，總是先關閉思想的大門。

530 生命因為有生與死、愛與恨、恩與仇的衝突，所以才無限曲折，無限壯觀。基督讓我們「愛敵人」，因為敵人帶給我們生命的「張力場」。

531 對罪孽的承擔，不是害怕來世的懲罰，而是對人之所以成為人的責任的認同。沒有任何外在性的力量可以征服純潔而坦白的良心。

532 薩特把人界定為被叛了死刑而又不知何時赴刑的存在。人通過營養、通過吃藥以延緩執行死刑的時間，但為了延緩這種時間，人也往往出賣靈魂，結果反而使靈魂提前奔赴斷頭台。

533 人一生下來就是一個存在，而且是不斷發展變化的存在。沒有什麼力量能夠否定這個存在，除了死。所以，人生總要追求存在的意義。這個意義不是他定的，註定的，也不是先驗本質所規定的，而是自己定的，即自己賦予自身存在的意義。存在帶有什麼樣的意義、面孔和本質，我有選擇的自由。因此，選擇在我，自由在我，責任在我。人的存在可以渺小到極點，也可以博大到極點。人的本質力量可以對象化到無邊無際，也可以懦弱到毫無作為，這都取決於自己。在「命運」這一大概念中，我不屈服於「命」，而期待於「運」——期待不屈不撓的向前運動。

534
理性主義者在兩個東西面前，難以實現理性，一是「性」，二是「死」。因為「性愛」與「死畏」都是本能，非關理性。理念是否能戰勝本能，這正是「道德」是否可能的永恆問題。

535
聽到鄧麗君的死訊時，我感到痛惜。當我充耳灌滿進行曲的時候，是她的另一種如同天樂的聲音滋潤了我們一代被火藥燒焦了的心胸，我一直感謝她。她雖然死了，但她的及時而死，恰好給人間留下永不衰老的、與她的聲音和諧的美貌。她在我心中將是永恆的美與永恆的星光。死亡與虛無並不相等。已經消失了的鄧麗君，即使她的鬼魂在黑夜裏出現在我的窗前，我也不會害怕。她的歌聲聚集着人類的全部溫情與善良，即使她作為鬼，我也渴望聆聽她那帶着憂傷美的歌聲。

536
詩人安格爾說，每個人到了生命的最後，總是要聽到一聲沉悶的爆炸，然後離開人間。誰也無法避免這一聲爆炸。但這一聲爆炸可以炸毀一些人的全部，卻不能炸毀另一些人在生命過程中創造的另一種更久遠的生命。

537
一個青年對着牆壁全神貫注地吹奏笛子，沒有聽眾。我站在他的背後許久，但他沒有發現，他的內心充滿思念、傾訴和情意。潰敗的生命不會對着大自然吹奏戀歌。人生很短，我也應當握緊靈魂的笛子。不要放下，即使沒有一個知音也不要放下。

538 當愛財如命的乞乞科夫（果戈理小說《死魂靈》中的人物）為丟失錢財而哭泣求救的時候，一位智者對他說：「值得哭泣的不是你的財產，而是那沒有人能搶奪的東西。」這種沒有人能搶沒有人能奪的東西就是人的靈魂。儘管世上有許多爭奪靈魂的故事，但靈魂不可剝奪依然是一個真理。人在自己的生涯中常常拋棄靈魂這一價值無量的東西，很少人為它的丟失而哭泣，甚至許多人永遠也不會意識到它的丟失。

539 每天都聽到雙重的呼喚，既有光明的呼喚，又有黑暗的呼喚。光明的呼喚使我靈魂飛向天空，黑暗的呼喚使我的思考擁有扎實的大地。無數同類處於黑暗中，卻聽不見它的呼喚，可我總是聽到，所以不敢輕浮。

540 因為我愛書本和愛朋友，所以生活中總有人類最優秀的心魂相伴。此外，還因為我有許多跟蹤的虎狼，那是人類的負面，這一負面又使我的思想不會殘缺，文字不會變成低吟淺唱的牧歌。

541 在人生的起始階段，路上總是佈滿花香，此時，我不懂得時光的分量。直到鮮花凋零，道路充滿泥濘，自己也差些被風暴埋葬之後，才知道生命可以有所作為的歲月是多麼稀少，這歲月是一種有機的物質，它擁有難以估計的重量。

542 寫過《裸者與死者》、《北非海岸》的美國作家梅勒（Norman Mailer）說過，人的年紀大了之後，最糟的是變得膽怯。曾經敢於冒險犯難的，年老時卻變得戰戰兢兢、瞻前顧後，最後更是變得漠不關心，無動於衷。心靈的死亡，第一徵兆是膽怯；第二徵兆是冷漠。到了這個時候，作家倘若還有自知之明，最好是沉默。

543 如果那個瞬間真的是死亡的瞬間，如果那個瞬間之前還有三分鐘，如果死神在這個時刻問我還有什麼依戀，我大約會告訴他：這個世界雖大，但我依戀的只是此刻在我心靈中那幾個春日般的親人與友人的名字，唯有他們是這世界最後的真實。

544 人的生命「始」於母親的子宮，這是沒有差別的；但是，人的生命「止」於何處，卻很不相同。有的止於抓住最後一個銅板，有的止於王位最後的囑託，有的止於抽出最後一縷絲，有的止於偉大圖畫中最後的一筆，有的止於觀賞藍天的最後一瞥。人生終止於何處，常常真實地顯示着人生。

545 一切都可能被剝奪，一切都可能被粉碎，一切都可能被疏遠，但心靈的歸屬可以自己掌握，誰也無法改變它。世事滄桑，但它可以依然屬於自己，依然緊緊地貼在胸間，依然呼呼跳動。靈魂只要還站立着，就會改變外部的一切，疏遠了的大山大河還會向自己靠近。

546 死亡什麼時候到來？不知道。死亡乃是一種巨大的不可知。因為死亡的不可知，人生才有趣。死亡的確定是指死亡一定到來，死亡的不確定則是不知死亡何時到來。由於死亡的不可知，生的夢境便五彩繽紛。

547 我早就發現死亡，包括發現自身偶爾死亡的時刻。當第一根白髮從頭上升起的時候，當第一個死的噩夢糾纏自己的時候，當精彩的書籍擺在案頭不再想看的時候，當美好的歌聲不想去傾聽的時候，當人間的災難消息傳來不再不安的時候，當卓越的人格、偉大的精神立於面前不再感動的時候。

548 人對死亡其實是很在乎的，因此，人們才努力去創造征服死亡的手段，包括宗教、哲學、文學、藝術等。一切精神創造都是在創造一種比生命更為長久即超越死亡的東西。對於死亡不在乎的人也有，但很少。

549 自從聶紺弩、施光南去世之後，我便意識到，熱愛我的友人不可能伴隨我的一生，他們將一個一個離開我，而且再也無法相見。無論如何呼喚，再也見不到了。想到這一點，我再也不會忽略真正的情誼。

550 人類內心深處也許有一種超越死亡的東西潛伏着。我一直在挖掘這種東西。我的文字都是在挖掘時帶出來的泥土，其中可能夾雜着永恆的碎片。一切都讓時間選擇，我只管不斷挖掘。

551 死神並不是突然而降的不速之客。它伴隨着人的誕生而進入人的體內，潛伏着、窺伺着，並抓住某個時間點開始蠶食人的肉體與靈魂。人可能在肉體尚未被吃掉之前，肝膽、肺腑已被吃盡，靈魂也只剩下殘骸。

552 近日，四千年才接近地球一次的彗星又出現了。我在陽台瞭望着這個太空中神秘的過客。四千年前它君臨的時候，大部分人類還處於刀耕火種的蠻荒之中，而四千年後它再度來訪時，人類卻有無盡的繁華。此後四千年它再度來訪時，人類會是怎樣呢？可惜它永遠行走在天宇大道，而我們卻再也看不見它了。人生真短，慧星的一輪足跡，正是人類的百代腳印。

553 無論哪一個季節，我都確信太陽就在頭頂。即使在嚴寒的冬季，我也相信，那只是太陽離我尚遠，但太陽還在。沒有人能消滅太陽。我記得歌德說過：太陽永遠不會下沉；還記得叔本華的話：太陽永遠處於燃燒的中午。這一切是我關於「光明」的信念。

554 自古以來，無論東方還是西方，總是在爭論靈魂是否存在。其實許多人在肉體死亡之前，靈魂早已不存在。他們的問題不是死後有沒有魂靈，而是死亡之前靈魂是否還在。果戈理的小說《死魂靈》，就是發現人在死前靈魂已率先毀滅的悲劇。

555 生命彷彿是無休止的重複：誕生，生長，發展，死亡；然後又是誕生，生長、發展、死亡。生命的悲劇正是明知要死亡，還要重複誕生。所以叔本華說，人最大的悲劇是他誕生了。然而，明知會死偏要誕生，偏要在大地上站立起來，這又是壯劇。

556 無論是過去還是現在，無論是昨天喝彩之聲鼎沸的時日，還是今天思緒奔湧的瞬間，我都覺得自己的人生高潮尚未到來，而且希望高潮永遠不會到來，高潮一旦到來，接着就要進入完成與終結。我不願意看到生命句號。我的生命將終止於耕作的時刻，高潮將留待身後。

557

人生是永遠的旅行，連死也不是終點。人死後，他的「心生命」還將繼續旅行，他的思想還將潛入其他生命之中，繼續與活着的知音展開對話。靈魂的共振現象，不僅發生在生前，也會發生在死後。

558

孔子站在河岸上感嘆時間如同逝去的江流時（「逝者如斯夫」），不知是站在河流的上游還是下游。如果讓我選擇，我一定站在下游。因為我喜歡以整個身心去容納時光的流水。時間的消逝，並非死亡，我相信它的每一個逝去的片刻都可以注入我的生命。

559

人到了二十歲頂多到了二十五歲，軀殼就停止生長了，但人的心靈卻不斷生長，一直長到死。人在臨終前最後一個感悟，也可能使人的心靈長出新芽。這一意思借助錢穆先生的概念來表達，便是人的「身生命」只成長到青年時代，而「心生命」的成長卻沒有止境。

560

人類的心靈是如何形成的？那些與獸完全不同的溫柔而聰明的心靈是如何產生的？像賈寶玉那種真性真情是如何實現的？我始終叩問着。偉大的造化經過無數年代的孕育，把冰冷的石頭化為人類心靈，造物主最偉大的成就是形成了人的心靈。不管它是上帝的產物還是歷史的產物，總之是偉大的產物。

561

在我的印象中，祖母與外祖母的去世如同落日，先是落進我的心裏，經過眼淚的洗禮後又重新從我的心壁上升起。她們的大慈大愛，放射着光華，不僅為我照亮路途，還幫助我發現他人卓越的品性，使我常常在他人的生命光彩中吸收養分而不知嫉妒。

562

「人生很短」這一簡單意識幫助我凝聚生命，拒絕把時間分割給無謂的爭執與爭鬥，而把歲月的流水全部引入寫作方格，讓它孕育出另一生命。

生與死不僅是軀體的存在與毀滅。在這之外，人是走向黑暗還是走向光明，是與魔鬼為伍還是潔身獨行，是攀越真理之峰還是爬行於名利之牆，都是生與死的抉擇。投身名利場與投身火葬場的意思相去不遠。

思想者浮雕

563 我喜歡「很有學問」、很有文彩的人，但更喜歡「很有思想」的人。我追求學問、思想、文彩的交融「齊一」，並以「思想者」自居。有人説，因為人會虛空，所以需要上帝；我回應説，因為人會虛空，所以需要思想。思想可以填補虛空，可以貫穿一切、激活一切。思想無時不在，無處不在。思想者可以面對天堂、面對地獄、面對宇宙、面對社會、面對自然、面對神、面對魔、面對人、面對他者、面對自我。思想者可以擁有一切又超越一切，所以他永遠不會虛空。

564 羅丹的「思想者」坐在「地獄之門」的頂端，思索着地獄中的「眾生相」。他只有大悲憫，既同情「好人」，也同情「壞人」。我把自己界定為「思想者部落」的一員。這個部落的成員沒有國界，沒有族界，沒有種界，沒有偏見，沒有成見，只有思索與悲憫。思想者的第一品格是「崇尚真理」。有人把人生哲學講述成生存技巧學與生存策略學，但思想者沒有生存技巧學與生存策略學，他只服務真理。

565 「讓思想者思想」，「讓思想者自由思想」這始終是我內心最重要的呼喚。思想自由的價值是最高的價值。所以天地廣闊，對於思想者來説，廣闊天地就在思想自由之中。「天高任鳥飛，海闊任魚躍」，思想者的夢想只有一個，那就在精神的天空中與大海裏讓思想自由馳騁。

566 青年時代就喜歡「鳥最美的是翅膀，人最美的是思想」這一民間諺語。後來，我果然師法飛鳥，努力展開思想的羽翼。飛鳥為了翅膀的美，它常常抖落身上的灰塵；而我為了思想之美，則總是在療治「精神奴役的創傷」（胡風語）。

567 三十年前，故國開始經歷了一個錯誤的時代。在此時間中，政治權力與語言暴力結盟，對知識者進行了人格的掃蕩。這是真的暴風驟雨。掃蕩過後，幾萬、幾十萬、幾百萬知識者的人格全部倒地，造成了長城內外、黃河上下的一片巨大的人格廢墟與荒原，能在廢墟上站立起來的，便是幸運兒。

568 世紀末無思想。世紀末無問題。世紀末無真誠。世紀末無憧憬。精神無能者本不「噁心」，但裝扮強者卻使人感到噁心。「噁心」是存在的零度。

569 有膽有識，才構成境界。專制的重壓使人膽小。於是，一個小小的觀念常常要包上一百層皮。華麗中常常找不到文心與文眼，倒是可以看到外交家似的多副臉孔。

570 逃亡有着多重的意義。對我來說，最重要的是逃出精神囚牢，以從精神無能者的行列中跳出。

571 我是文人，但首先是思想者。確認自己是思想者，乃是為了避免文人常有的弱點即任何時候都需要別人欣賞。為了讓人欣賞就得表演，兼作戲子的角色。思想者則一定生活在戲子角色之外，因為他們獨立不移，不在乎外在的評語，也不在乎他人的喝彩。

572 中世紀哲學家伊拉斯謨（一四六六至一五三六）所著的《虔敬的盛筵》的開頭是伏昔波斯與狄摩修斯的對話。狄摩修斯說：「叫化在在人多擁擠的地方感到最自在，因為哪裏人山人海，哪是最好討到東西。」[18]

思想者不是叫化子，他不需要到人群擁擠的地方討生活。思想者的獨特個性是生活在人群之外與各種潮流之外。

戲子對着人山人海表演，思想者則面對一個人也沒有的牆壁思索。

18 雅克・勒戈夫：《中世紀的知識分子》（北京：商務印書館，1996），頁144。

573 做人與做事並不相等。論做事，注意「不要把簡單的事情複雜化，也不要把複雜的事情簡單化」。這顯然是對的，而且是做事的重要原則。但做人卻不同。做人恰恰需要簡單，需要在複雜的社會環境中努力「純化」自己，也可以說是「簡化」自己，包括簡化人際關係。人總是單純一些好。

574 思想者有對生的敏感，也有對死的敏感。他們常常能發現一種常人難以發覺的死亡的威脅，這就是「安逸」的威脅。壓迫不能使思想者屈服，安逸卻可以使思想者不再思想。因此，思想者必須反抗安逸。

575 卡夫卡說：人在內心深處都是叛逆。思想者的內心深處更是叛逆。真正的思想者總是要對流行於社會並被社會所接受的「理所當然」的觀點提出質疑。沒有質疑便沒有思想。質疑便是叛逆。一般地說，政治官員的脾氣是順潮流，思想者的脾氣是反潮流。

思想者雖然叛逆，但是寬容。他反叛他人，但不要求他人認同自己。他解構社會，也解構自己，他挑戰權威，也瓦解自己的權威。思想者的基本性格是尋找「不同」，而不是只會「認同」。

576 思想者最開放，其思想能容納宇宙萬物和人間的各種苦痛，不會被仇恨、偏見、誘惑所同化。思想者又最封閉，他獨立自主，常常關起門戶，排除外部潮流的侵蝕與騷擾。

577 天問，地問，人問，自問，思想者天生是個提問者，但不是懷疑一切的狂徒。捷克總統哈維爾在質疑極權的時候，卻保衛着「人的尊嚴」這些不可懷疑之物。他在獄中致奧維爾的信上說：「無論是時光流逝還是歷史發展，有些東西是永遠也不會成為可疑之物的。因為它們本身就是人類存在的不可分割的一個準度，因此也是歷史的一個準度。這個歷史既表現為一連串的鎮壓、謀殺、愚昧、戰爭與暴力，同時也表現為輝煌的夢想、理想和渴望。」[19]他還說：「維護尊嚴的願望只是『自我意志』（即想成為唯一的、想擁有與眾不同的個性意志）的另一種形式、另外一個方面、另外一種表現。而屈辱（作為一種典型的『死亡法則』的表現形式）卻妄圖去毀滅人的個性（它最大的理想是將存在變成一種無機體，再把它分散到宇宙中去），捍衛一個人的尊嚴首先意味着捍衛一個現實的不可替換的人的個性、捍衛他本身。」[20]

19 哈維爾：《獄中書簡》（香港：田園書屋，1988），頁 104。
20 同上註，頁 226。

578 人的尊嚴似乎抽象，但又非常具體。哈維爾說人每天都有充當可憐蟲的可能，也有不當可憐蟲的可能，選擇前者沒有尊嚴，選擇後者則要承受折磨。我所見到的多數，是選擇充當可憐蟲，即在熙熙攘攘的人群中充當一條淒淒惶惶的夾着尾巴的生物，蜷縮在聽堂與書庫的角落裏。

579 西方貴族傳統以「自尊」為第一原則，他們的「決鬥」行為語言宣示：有一種東西比生命更為重要，這就是「人的尊嚴」。

580 胡適在《科學與人生觀‧序》中說：「近三十年來，有一個名詞在國內幾乎做到至上尊嚴的地位，無論懂與不懂的人，都不敢公然對他表示輕視或戲侮的態度。那個名詞就是『科學』。」

社會要生存下去，有些名詞是不可輕視與戲侮的。除了科學之外，還有愛、誠實、尊嚴、真、善、美等，這是社會生存的鹽和水。知識分子其實就是護衛人間生存之鹽和生存之水的赤手空拳的衛士。

581 生存困境是思想者的搖籃。偉大的思想家多半是在生存的挑戰中誕生。一個老是徘徊於岸邊而不投入大海的人不可能成為傑出的舵手，一個只是在書卷裏討生活的人也不可能成為大思想家。思想的產生和思想者的生命投入緊密相關。許多留學生可以成為學問家卻難以成為思想家，就因為他們沒有經歷過生命苦難的試煉。

582 政客無思想。政治家則一定是個思想者。思想為大政治家創造了境界。甘地、馬丁·路德·金、曼德拉是二十世紀的政治家，他們的政治不是權術而是境界。

583 思想，是人最重要的質。知識能充實思想，但也會阻礙思想。思想者往往要衝破知識的遮蔽，才能充分展示真理，思想者要擁抱學術，又要穿透學術。

584 世上有雅典與耶路撒冷之分，有實在性真理與啟迪性真理之分。前者通過邏輯抵達，後者通過直覺抵達。我是文學中人，註定追求啟迪性真理，但對實在性真理也充滿敬意。

585 蘇格拉底是值得尊敬的，他是人類歷史上第一個為哲學而殉道的人；伽利略和布魯諾，是值得尊敬的，他們是人類歷史上打開近代科學先河並為科學殉道的人。在中國，有許多為國家興亡、為帝王社稷犧牲獻身的人，但幾乎沒有為哲學為科學而殉道的偉大志士。我把我的同鄉李卓吾視為奇跡，並深深崇敬他，就因為他是一個為思想信念而犧牲的偉大殉道者。

586 上帝是一個形而上的假設，這一假設又是最完美、最合理、最理想的偉大存在，世俗社會中的仁人志士只能在某一點接近這種理想境界，不可能等同這一存在。有這一假設，人才能正視其有限性，而不會幻想與神同一。

587 說「上帝不存在」，對，因為你無法用邏輯證明它存在。說「上帝存在」，這也對。因為如果把上帝視為一種情感，它就存在於你的心中，你的身上。

588 承認自己脆弱、軟弱、懦弱，可以避免許多妄想，包括成為超人的妄想。人的話語不可能句句是真理，更不可能放之四海而皆準。掌握終極真理的妄想便是超人的妄想，以為人可以替代神的妄想。妄想使人變成妄人，使心變成妄心。

589 靈魂有不同的顏色。我很喜歡中國作家張煒在《九月寓言》的「代後記」所說的一句話：「任何一個時世裏都有這樣的哀嘆——我們缺少知識分子。它的標誌不僅是學歷和行當上的造就，因為最重要的依據是一個靈魂的性質。」靈魂的性質看不見，但世間拍賣靈魂、交易靈魂的行當卻有聲有色。昨天我看到的是因為害怕壓迫而出賣獨語的權利，今天我看到的是因為害怕貧窮而出賣獨語的才華。因為看不見靈魂的顏色，所以有那麼多騙子。

590 愛因斯坦不僅是探索自然宇宙的學者，而且是心靈宇宙的旗手。我景仰愛因斯坦的原因不僅是他的成就，而且是他的世界觀。我曾被他的一段人生獨白激動得難以入眠，至今還鐫刻在心裏。他說：「人類存在於這片土地，是為了他人——尤其是與自己休戚相關的人，以及因同情之心所繫結的無數陌生人。我常深切感到，我的物質和精神生活，不知蒙受多少別人（包括現存和已死的人們）的惠賜和幫助。人家既投我桃子，至少應當報之以李，我該如何努力才能報答社會呢？我常為這些問題而擾亂了心靈的平靜。」[21]

591 培根認為世上的種種快樂都可能達到飽和狀態，唯有學問不會飽和。這是真的。學問是無底的深淵和無邊的大森林，做學問的人是永遠的飢渴者甚至是永遠的迷惘者，他永生永世將註定被困惑所糾纏，解了一個困惑之後又被新的更大的困惑所折磨，所以大學問家一定是最謙虛的人，一定是大飢渴者。我想補充的是，不僅「唯有學問」，其實「思想」也永遠不會飽和。

21 引自愛因斯坦，陳曉南譯：〈我的人生信條〉，《廿世紀智能人物的世界觀》（台北：巨流圖書公司，1993），頁77。

592 時間與空間具有無限的差異，而且變化無窮。個人在時空中的經驗也具有無限的差異，而且也變化無窮，因此要打破大一統的視野，要打破所謂四海而皆準的真理神話，當然也要打破大一統的思想史與文學史框架。

593 以前誤認為知識分子的功能無限，可以充當各種角色：政治家、革命家、救世主、聖人、人民代言人、靈魂工程師等，現在才意識到這是功能的膨脹。意識到知識分子功能的有限，才能勇敢地承認自己並不那麼重要。

594 人間到處都有黑暗，只是黑暗具有不同的形式。我在東方和西方都感受過黑暗。黑暗一部分是物質的，囚牢、牛棚、子彈、皮鞭等；一部分是非物質的，氣氛、傳統、指令、思想剝奪等。非物質的看不見，所以思想剝奪是最難改變的黑暗。

595 中國有一些被謳歌、被崇奉的學問家，他們均聰明到極點。這種聰明就是極善於保護自己，對社會的黑暗不置一詞，卻能贏得社會的迷信。知識分子失去批判功能之後，可以生活得很好，而且宮廷與社會還為他們準備了許多紅地毯。

596 知識者一旦習慣在黑暗中生存、陶醉、玩賞自己的創傷，那麼，黑暗的社會自然就平安、穩定、自滿，繼續蠶食殘存的光明。

597 自己的鼻子很難聞到自己思想的腐朽氣。可是，只有能聞到朽氣的思想者，才能保持頭腦的清醒與靈魂的新鮮。能夠刪除發霉的字眼，就證明靈魂還有活力。

598 努力做個人類思想大師的知音，努力領悟他們從高貴的血脈中流淌出來的語言，做他們的「後世知音」。如果靈魂不死，他們能知道他們的思想經過幾千年的漂泊，最後落入許多傾慕者的心靈，也落入我的心靈。他們一定會說，這些後世相知的心靈，正是我的精神歸宿。

599 感受人。在感受歷史與世界時，不要忘記感受人，感受卓越的人格。宇宙神秘的韻律就蘊藏在卓越的人格之中。

600 磨礪思想是為了進入問題，而不是為了用一個聰明的腦袋去為沒有問題的權貴們服務。儘管世界與人生的各種疑問往往造成我頭腦的分裂。

601 對着莊嚴的日出與日落，還有肅穆的星河雲漢，我回望往昔的自己，有一點感到欣慰的，就是自己一直真誠地愛着從蘇格拉底到康德這些偉大的思想者。儘管任何時候我都保持着做人的驕傲，但是，對他們卻一直是謙卑的。謙卑地立在他們的肩膀上沉思。

602 常感到極度的疲倦。但我知道不能疲倦得太久，因為疲倦等於短暫的死亡。靈魂麻木，身體麻木，對於人間的所有不幸沒有力量感到不安，這種死寂是不能太久的。

603 我和我的同胞用十年的時間對着領袖的相片不斷地唱着讚歌，從早晨到黃昏。但是，最後我發現領袖僅僅是懸掛在空白牆壁上的一張圖紙，全然沒有感覺。而我在謳歌中發現：自己的思想生活，在這裏停止了。

604 想到焚書坑儒，想到無數文字獄把知識人從肉體到靈魂一塊塊撕碎，想到中國的優秀頭顱一次次被打擊，然後又看到依然有不怕被埋葬者在，還有正直的聲音從岩壁絕谷中發出，就不敢輕言對人類的絕望。

605 到海外之後，才清楚地看到一些漂流者的性格悲劇：埋怨、消沉、浮躁、痛苦，其原因全是不甘心從中心地位退入邊緣地位。而不接受邊緣地位，妄想在邊緣與夾縫中又扮演中心的角色，就變得非常痛苦。懵懵然，慾望使人痛苦。爭居「中心」也是慾望。

606 不再追求四海皆準的真理，只把自己所設定的理論視為一種個人的體驗而已，可能對也可能錯。

處於兩種文化的夾縫之中，游離於兩種文化的邊緣地帶，對兩種文化都能反思，便形成自己特殊的經驗和特殊的批評位置，因而也形成自己特殊的視角。在中心之外，未必是一種劣勢。

607 說知識分子是邊緣人沒有錯。相對於站立在政治漩渦中心的政治家們，他們總是處於社會的邊緣地帶。作為漂流者，更是生活在各種文化的邊境之中。然而，我不承認自己是絕對的邊緣人，因為當我思索的時候，我就站立在黑暗中心的門口，面對着黑暗說出真話，處於黑暗中心的權勢者常常阻止我說話，他們知道我雖身在邊緣，但頭顱卻常常撞擊着黑暗中心的閘門。

608 這個紛紛擾擾的世界，其中心只有一個，這就是人。電腦不是中心，高樓大廈不是中心，航空母艦不是中心，國家機器不是中心。應當緊緊地擁抱人，不應自處於這個中心之外。

609 當作家學者們紛紛論證自己是邊緣人的時候，只有索爾·貝婁提出「回到中心」的期望。他說：「現在，是什麼居於中心地位？既不是藝術，也不是科學，而是在混亂與昏暗中要決定其生存或死亡的人類。既然，中心是人類，那麼，我們此生的目標，就應在人類的中心處，去爭取自己的權利。」作家如果不重新回到中心，這並不是因為中心已被佔據，而是自己放棄中心。只要想回去，是可以隨時進去的。

610 索爾·貝婁在榮獲諾貝爾獎時所發表的演講中說，作為個人，應當「為爭取靈魂的主權而與喪失人性而鬥爭。這種鬥爭是無法終止的。」

為護衛靈魂的主權而鬥爭，這應是思想者的心靈原則。政治權力，市場法則，道德的混亂與虛偽，都在侵犯靈魂的主權。

611 以賽亞·伯林（俄裔英國思想家）生前一再讚嘆：活着多麼好！我願意為這一感嘆註釋道：因為活着可以思想，而思想者擁有一切，一切都是思想的對象。

612 在故國的南方時，以為廣闊的北方到處都是路。到了北方之後，才發現北方也沒有路，連自己最心愛的大街和廣場也沒有路。困惑之中，以為西方到處都是路，最後又發現這裏也沒有路。這才意識到文學藝術的美好，它在沒有路的現實世界中，為你開闢一條最自由的路，可通向一切地方的路。

613 監獄裏沒有空間，但有時間。監獄的空間雖小，但容納彎曲着的手臂和思索着的頭顱還是有的。所以，監獄固然扼殺人，但也造就人。許多鋼鐵般的思想者都是從牢房的鐵門裏走出來的。但監獄也有生產痞子和無賴的功能。

614 人是從母親子宮中流出來的生命，不是北京或長春汽車製造廠生產出來的螺絲釘，所以讓我當馴服工具是不可能的。當權勢者對我說：你必須成為一枚革命機器上的螺絲釘時，如果我回答：是。那麼，我首先褻瀆的是我的母親。

615 想到基督的名字，我就覺得自己平靜一些，心靈也變得溫柔一些。每次記起基督在十字架上的樣子，我就覺得吃點苦算不了什麼，挫折和死亡，往往是再生與復活的序曲。然而，我始終沒有成為有神論者和基督徒。因為我不敢放棄一個從小就生長出來的念頭：人生之旅中的一切困難都應當由我自己去解決，依靠神的無限力量去化解畢竟輕鬆，而依靠自己有限的力量去化解雖然艱辛，但畢竟顯示出自己確實擁有力量。

616 儘管我酷愛文學，但拒絕一些朋友的要求：你只要寫些文學作品和文學理論就行了，不要考慮文學之外的事。他們不了解，我的作品就是我整個的人。作為人，我要用自己的方式去否定現實中的荒謬、凶殘、虛假、邪惡。作為知識分子，我則要從專業王國中漂泊出來，如同托爾斯泰晚年的「出走」。有「出走」才有大關懷。

617 當地球的這邊進入黑夜的時候，另一邊則是白晝，它無時無刻都在運轉並在地面上生產着新的知識，如果世界在繼續生產的時候而我不能繼續學習，那我就會成為這個世界中的一個半開化半愚昧的狼孩。

618 晚年的托爾斯泰，總是坐立不安，像個煩躁的、愛發脾氣的孩子。他說：「舉目盡是貧困，我們卻豪華奢侈，整個人間生活不好，是因為我們這些人不好……」「見到替我們家幹活的奴隸們，心情便愈來愈沉重了」，這是托爾斯泰晚年的一大情結。知識分子不是煽動奴隸起義的人，卻是為奴隸請命的人。好的知識分子，一般都是奴隸的首領。

619 屈原在朝廷中是個大官，但是，他之後的中國史家和中國人都認定他是一個知識分子，不會把他推入官僚的範圍，這不僅因為他是一個大詩人，而且因為他是一個能發出「天問」的人，即能夠對天道世道提出問題的人。

620 知識分子是社會中永遠扛着大問號的階層。它是永遠的質疑者，他們在發出問號之後也尋求句號，但只是暫時的句號。在政治上，反對派只向執政黨提出問號，而知識分子則對兩者都提出問號，它是雙重問號和多重問號的階層。

621 根深蒂固的偏見不屬於知識分子。我在記住自己是一個知識分子的時候，並非自戀着自己的一點專業知識，而是提醒自己，你必須把人間的公平與正義根深蒂固地放在心裏。如果不是根深蒂固，一陣打擊和一陣誘惑就會把你的正義感刮走。

622 用頭腦去體驗世界本是思想的特色。但我自己和我看到的中國知識分子，卻在很長的歷史時間中，用肉體去體驗世界。肉體受盡懲罰。一個個作家學者被踢打，被踩上沉重的腳，這種肉的體驗固然也深化了思索，但我更多地感到悲傷。

623 知識分子為了不背叛自己的信念，往往要背叛自己曾經隸屬過的階級、集團、族群，甚至還會背叛自己的君王、雙親、朋友，最後還會背叛自己，即背叛自己的「錦繡前程」和「幸福」去嚐盡苦頭。

624 此刻安靜地寫作，此刻便價值無量。為了這一刻的存在，必須排除阻撓、障礙、挫折，引誘，包括排除死亡。在這一刻，有人在辛苦奔走，有人在艱苦掙扎，有人在為住房大聲疾呼，有人在為亡者悲傷哭泣，有人在玩樂中消耗時光，而我卻贏得這一刻。

625 人活着的時間短得出奇，何況在有生的時間內幾乎三分之一處於幼稚狀態，三分之一處於衰老狀態，而在最強壯的三分之一部分中，有的時間生鏽，有的時間生蟲，有的時間被剝奪，所以，能贏得思想活潑的寫作瞬間，就絕對不能放過。

626 知識者手無寸鐵，但權勢者卻很怕他們。秦始皇把知識分子集體埋葬（焚書坑儒）就表明統治者的恐懼。到了現代社會，中國還發動一場文化大革命來清除知識分子的影響，這說明，手無寸鐵的階層擁有力量，這就是人格與話語的力量。

627 在文化大革命中，時間凍結，工資凍結，銀行存款凍結，書本凍結，思想凍結，但知識分子並沒有被凍死。一旦陽光照明，聲音照樣發出。這一歷史經驗，足以使我獲得信心。

628 自由的權利雖説是天賦的，但畢竟是預付的。倘若不努力讀書，不從小一頁一頁地閱讀、書寫，怎麼能在知識的大海上贏得自由。千帆競發，萬舸爭流，在大海上自由飛翔的後邊是不自由的辛苦試煉。有能力，才有自由。

629 知識分子即使能夠成為權貴的朋友，那也一定是偶然與暫時的。真的知識分子不可能終其一生對其共存的權貴展開批評，不可能與權貴永遠保持一致。保持一致，意味着丢掉自己的信念和本色。

630 赫爾曼·梅爾維爾的《無比敵》（又譯《白鯨記》），最後是亞哈船長、全體水手同白鯨莫比迪克同歸於盡，「一切都消失了，可是，那個大壽衣似的海洋，又像它五百年前一般繼續滔滔滾去」。人類優秀的精神創造，也像大壽衣似的海洋，長久地滔滔滾滾。這一點，是歷代帝王的皇冠不能比擬的。

631 二十世紀下半葉，中國知識分子所承受的苦難，可能需要二十一世紀整整一百年才能消化完畢。因為這種苦難不僅是感覺的驚恐，而且是整個心靈的破碎。

632 當李澤厚和我的《告別革命》出版之後，有幾位聰明人說：你們兩邊不討好。即既不能討好政府，也不能討好反對派。聽了這句話，我想起史獲（Herbert B. Swope）的一句名言：「我不能告訴你成功的公式，但是我可以告訴你失敗的公式，那就是：試着去討好每一個人。」

633 卡繆在二十二歲的時候就開始寫札記。他在札記中說：「人必須生存，必須創造。人必須生存到那想要哭泣的心境。」札記中有一則記錄了愛倫坡的四種快樂：（一）生活在戶外清新的空氣裏。（二）別人對你的愛。（三）放棄所有的野心。（四）創造。[22] 在海外漂流的日子裏，我感受到這四種快樂。大自然；人；平靜而深邃（「想要哭泣」）的心境；寫作確實是無窮的快樂之源。唯其第二項，我想作一補充：愛他人比被他人愛具有更大的快樂。「生存到想要哭泣的心境」中，便是生活在愛他人的真摯情感中。

22 阿爾培・卡繆：《卡繆札記》（台北：萬象圖書，1991）。

634 許多謙遜的作家都致力於一種「還原」：從先知與啟蒙者還原於人。而我卻經歷過另一種艱辛的「還原」，這就是從被改造成相信「革命可以改變一切」的怪物「還原」為正常人，重新恢復對人性和日常生活的尊重。近二十年，我有意識地做了這種「還原」的努力。

635 相信人可以成為超人，會給人生帶來巨大的幻象，於是，就超現實，超正常，最後變成瘋子。尼采作為超人哲學的草創者，他相信自己可以替代上帝，然而，他率先變成瘋子。二十世紀產生許多小尼采，他們自以為是超人的英雄，如希特拉，最後也變成瘋子。妄想成為超人而變成瘋人，這是二十世紀的一個巨大精神教訓。

636 中國知識分子所以比較沉重，是因為內心具有雙重的煎熬：知識的煎熬和民族前途的煎熬，後者耗費掉大部分生命的熱能，所以前者就難以形成雄偉的大建築。

637 「中國知識分子」這一名稱，只說明這些知識分子出身於中國，而不意味着這些知識分子只是民族知識分子。一位朋友來信說：我們中國知識分子註定要和自己的民族承受苦難，這是對的，但是，我補充說，「推己及人」在這裏是應當記住的，知識分子還應當把自己的民族關懷推及到人類的更廣闊範圍。

638 索倫・克爾凱戈爾如是說：人們終身忙碌，其結果只是：個人絕少能夠長成一顆心；另一方面，那些實際已經長出一顆心來的思想家、詩人或宗教徒卻根本不能和大眾打成一片。這倒不是因為他們不善於與人相處，而是因為他們的職業要求他們獨自一人潛心工作，要求他們保持某種與世隔絕的狀態，追求關於其自身的知識。[23] 六七十年代，當我渴望生活的時候，我被推入大眾之中。我敬重那些和泥土一樣質樸的農民，但也未能真正和他們打成一片。因為我已長出了半個心。半個心雖是殘缺的，但有自己的思想和期待。在中國，只要有半顆心，就難以跟上大眾的步伐，就註定要蒙受心靈的痛楚。

639 中國是一個巨大的擁有十幾億人口的國家，因此它的桂冠便更有吸引力。一個省長可能管轄數千萬百姓，相當歐洲幾個小國的首領。這樣，知識分子要拒絕桂冠的誘惑就更加困難。像海瑞那樣把烏紗帽提在手上，毫不畏懼地對着王權為百姓請命的知識分子很少。

23 索倫・克爾凱戈爾，晏可佳、姚蓓譯：《克爾凱戈爾日記選》（上海：上海社會科學出版社，2002），頁 101。

640 我提出「文學對國家的放逐」的命題，不是不愛國家，而是因為我常遇到文學理念與國家理念的矛盾，也常常遇到自己擁抱文學真理與國家原則的矛盾。站在文學的立場，我必須批評國家；站在國家的立場，我必須譴責文學。在這種艱難的選擇中，我不放逐文學，而放逐國家。

641 陳寅恪先生在一九五三年做了一件讓當時的中國學界感到驚訝的事。中國科學院準備讓他擔任中古研究所所長，他提出條件：一是允許該所不學馬列主義不問政治，二是請毛澤東劉少奇給予支持。那個年代，所有的大知識分子全都低下頭來，譴責自己不懂馬列不問政治的罪孽，唯有他一個人發出這種反潮流的空谷足音。一個人，發出這種獨一無二的聲音，形成精神冰川時期的卓越人格。這種人格精神的文化意義甚至超過其學術成就的文化意義。想起陳寅恪，我就想起歌德的詩句：人類孩兒最高的幸福，就是他的人格。

642 愛因斯坦說，他不去背誦那些百科全書中已有的東西。我把這句話視為對原創力的呼喚。他的成功就是超越百科全書已經定義過的一切，創造出已往知識庫裏沒有過的全新觀念。

愛因斯坦的這句話，對於把生命消耗在經典注疏的中國知識人來說，可能特別重要。

643 自身包藏着惡的全部可能，自身對於惡在哪裏尚不清楚，卻在充當靈魂工程師，設計救贖社會的方案，這才是真正的靈魂的冒險。

644 在創造橋樑的時候，是需要珍惜、尊重每一塊石頭的，包括每一塊小石頭。伊塔羅·卡爾維諾在《看不見的城市》中有一節是馬可孛羅和忽必烈關於橋與石頭的對話：

馬可波羅描述一座橋，一塊一塊石頭，仔細地訴說。

「到底哪一塊才是支撐橋樑的石頭呢？」忽必烈大汗問。

「這座橋不是由這塊或是那塊石頭支撐的。」馬可波羅回答：「而是由它們所形成的橋拱支撐。」

忽必烈大汗靜默不語，沉思。然後說：「為什麼你跟我說這些石頭呢？我所關心的只有橋拱。」

馬可波羅回答：「沒有石頭就沒有橋拱了。」[24]

---

24 伊塔羅·卡爾維諾，王志弘譯：《看不見的城市》（台北：時報出版社，1993）。

統治者尋找支撐社會的脊梁，這就是橋拱，但他們常常忘記，構成社會脊梁的，是從古到今不斷積澱下來的石頭般的人格心靈。

645 我很喜歡數學家陳景潤。在他去世之前，我多次和他相聚。他有科學家的獻身精神，他所選擇的課題本身就是冒險。許多人都失敗了，他也可能失敗並可能為失敗付出一生代價，但他勇敢地作了選擇，而且獲得成功。然而，他的成功並不是天才的勝利，它只是信念和數學邏輯的勝利。原創者是提出哥德巴赫猜想的德國大數學家哥德巴赫。

我常惋惜，中國只能產生陳景潤，卻生產不了哥德巴赫和他的猜想，或者說，可以產生傑出的思想巨匠，但難以產生首創的思想家。

646 我的老師周祖撰告訴我，在故國數十年的驚濤駭浪中，在每一個知識分子都難以做人的時代裏，他不能說沒有過錯，但有一點值得自慰的是，他從來沒有為虎作倀過。聽了這話，我感動不已，並回答說：「老師，在狼虎橫行的年代，你拒絕為狼虎服務，就是一種貢獻。」

647 歌德本人與浮士德一樣，因為總是往前追求，總是不滿足，所以任何人生的驛站都不能留住他，任何知心的伴侶也不能留住他，連最美麗的海倫也留他不住。只有大路前邊的召喚是絕對的命令。這一命令神秘而力量無窮。於是，歌德總是辜負那些愛他的戀人。在世俗的眼裏，他是負心人，但他既沒有辜負只有一次的個體生命，也沒有辜負人類整體進入歷史之後應負的偉大使命，那種不斷為歷史大河增添新水滴的使命。

648 專制者再強大也很難戰勝思想，因為不屈的思想者隨時都能進入思維，而且往往在連燈光和麵包也沒有的時候進入了更深的精神世界。

649 不管你贏得怎樣的成就和光榮，哪怕像馬克思的學說那樣，變成一個國家的統治思想。但是，只要失去寬容，只要你企圖消滅一切異端，學說就會變成壓迫機器。思想一旦轉化為固定的模式，暴力就會產生。

650 阿里士多德的思想與他的老師柏拉圖相左，這才形成他的名言：「吾愛吾師，但更愛真理。」哈佛大學的校訓以此為基礎作了補充，形成這樣的學府座右銘：「我愛阿里士多德，我愛柏拉圖，我愛我的老師，但我更愛真理。」這一校訓告訴它那些來自四面八方的學子：學人需要文化知識，更需要文化情懷。情懷是氣質，是胸襟，是境界，是風采。它為真理開闢大道，為知識展示方向。二十世紀中國缺文化知識，更缺文化情懷。

651 魯迅是中國現代作家群中唯一的思想家，其他的作家都不是，所以他的作品最有深度。與魯迅相比，許多著名作家的作品就像小牧歌與小夜曲。

魯迅接受過尼采。但只是借尼采譴責奴才性格。他吸取尼采的自尊，卻與尼采不同，他同情弱者，關懷幼者，尊重婦女，而這三點，都是尼采的闕如。

魯迅在舉起投槍的那一瞬間，感到格外孤獨。他不知道該把投槍投向誰，他面對的是無物之陣，是覆蓋各個階層的普遍國民性，是無所不在的病態，是瀰漫一切領域的鬼氣與邪氣。羅曼·羅蘭說過，真正的偉大是孤獨，是個人同無形物的鬥爭。我的獨語不知是戰鬥還是對於戰鬥的迷惘。因為戰鬥的對象並不是物質，而是籠罩一切的、難以命名的、看不見的東西。

書齋話題

652 古希臘文明的中心雅典，在最鼎盛的時期（大約公元前四百三十年），人口只有二十三萬。但它卻產生了影響整個人類歷史行程的最偉大的頭顱與精神創造物。人類重要的不是量，而是質。大文化不一定屬於大國家。數量的優勢並不可靠。

653 卡爾維諾在《看不見的城市》中描寫馬可孛羅與成吉思汗的故事。有一回，成吉思汗面對自己的勝利說，我此生沒有什麼遺憾的了，該征服的都征服了。馬可孛羅卻告訴他，你勝利了，你是偉大的征服者，但是，當你征服了所有的地方，本屬於你自己的地盤也消失了，正如棋盤上的戰爭，你吃得一個不剩，你的棋盤其實也不再存在。馬可孛羅啟迪這位大英雄：征服了一切，最後便是征服了征服的前提與意義。

654 當孩子上小學的時候，就知道「焚書坑儒」不對。老師叮嚀說：「記住，這是罪惡。」我回答：「一定記住，老師。」可是在三十年前一個恐怖的歷史時刻，我卻必須表示「焚書坑儒」是正確的偉大歷史事件，必須雙手扼住自己的良心，然後說兩千年前活埋四百六十多名無辜知識分子的行為是對的。當我發出「對的」那一刻，我感到自己不僅背叛了歷史，背叛了老師，也背叛了自己，三重背叛的記憶一直折磨着我。

655 林語堂在《蘇東坡傳》裏說：「神聖的目標向來是最危險的。一旦目標神聖化，實行的手段必然日漸卑鄙。」目標的神聖化使目標成為奴役人類的名義，使一切奴役手段合法化。所以，天堂的名義很可能讓人們陷入互相廝殺的地獄。

656 青年錢鍾書比較有趣。那時候他血氣方剛，直言許多歷史教訓。在〈談教訓〉一文中他說：「世界上的大罪惡，大殘忍——沒有比殘忍更大的罪惡了——大多是真有道德理想的人幹的。沒有道德的人犯罪，自己明白是罪；真有道德的人害了人，還覺得是道德應有的代價。上帝要懲罰人類，有時來一個荒年，有時來一次瘟疫或戰爭，有時產生一個道德家，抱有高尚得一般人實現不了的理想，伴隨着和他的理想成正比例的自信心和煽動力，融合成不自覺的驕傲。」[25]

25 錢鍾書：《錢鍾書散文》（杭州：浙江文藝出版社，1997），頁 40–41。

657 產生一個不切實際的道德家，其災難如同戰爭，如同瘟疫，這一判斷發出時可能少有人相信；但是，當這個道德家以大理想的名義製造出巨大浩劫之後，人們就相信了。

658 蒙田在他最後一篇隨筆〈論經驗〉中說：「我們不用踩高蹺，因為即使踩在高蹺上，我們還是要用自己的腿走路；在世界最高貴的寶座上，我們坐的仍是自己的屁股。最好的生活是普通的和符合人性的模範的生活……既沒有驚人出奇的事，也沒有過分的奢華。」道德理想家，尤其是革命道德理想家沒有製造出驚人出奇的事就無法安寧，因此他們總是毀掉符合人性的日常秩序與日常溫馨，把生活帶入鬥爭狀態與革命狀態，老是處於這種狀態的老百姓，總是身心俱倦，與處於瘟疫及戰爭狀態中的災民差不多。

659 巴赫金所說的「狂歡節」即多聲部、多種不同個性之音的交匯交流，我只是在過去的時間中看到，即在先秦諸子百家相互駁難的時代和魏晉南北朝玄學異趣的時代中看到。「五四」時期也看到一些。而我身處的時代則有許多偽狂歡節、假狂歡節。徹夜在廣場跳忠字舞便是假狂歡節，因為那時只有一種絕對的、至高無上的聲音，其他的都不是人的聲音。

660 我在芝加哥大學的課堂裏，聽 Charles Taylor 在講解他的巨著《自我的根源》，特別記得他說人生的意義在於避免痛苦。痛苦並不是不得不去忍受的，而是可以避免的，人們通過避免痛苦，可以追求快樂的「充實的生活」。聽講之後，我想到叔本華的正視痛苦與我經歷的「製造痛苦」的時代。我想，如果不能避免痛苦，最好也不要製造痛苦。製造痛苦不僅使人生無意義，而且會使人生帶有負意義。

661 人們都知道 **D. H.** 勞倫斯寫過《查泰萊夫人的情人》，但很少人知道他也是一個思想家。他說：「所有為自由而進行的鬥爭，一旦成功，就會走得太遠，繼而成為一種暴政。」的確，革命成功之後所演出的悲劇往往正是從自由到暴政的悲劇。對此，勞倫斯又說：「絕大多數革命都是爆炸，而絕大多數爆炸所炸毀的東西都超過了原計劃的規劃。法國大革命的歷史證明，十八世紀九十年代，法國人並不是真想把君主政體和貴族體制炸毀。可是他們卻這樣做了，再長的努力也不能將其真正重新拼接起來。俄國人也是如此；他們只想在牆上炸出一條通道來，可是他們卻把整座房屋都炸毀了。」[26]

26 勞倫斯，黑馬譯：《性與美——勞倫斯隨筆集》（台北：幼獅出版社，1994），頁 109。

662 大革命不僅可以把活人送上歷史絞刑架，也可把死人送上絞刑架。在六七十年代，我就看到從荷馬一直到托爾斯泰全都被送上審判台。

663 我在中國作家李銳的小說中，看到中國翻天覆地的革命，又看到革命後的天地依然是那麼奇怪的愚昧、貧窮和原始性的落後。這種歷史壯劇之後的凄涼，使我感受到人間的一種最深刻的凄涼。作家這種冷靜的凄涼描述比風風火火的大激情更震憾我的心靈。

664 董樂山先生《邊緣人語》中〈法國大革命功過新論〉一文，引證了讓·法朗索瓦·法耶德在《革命的正義：恐怖紀事》中的資料，估計在一七九二年到一七九五年之間，上斷頭台送命者達一萬七千人。而據雷內·塞迪洛特在《法國大革命的代價》中估計，因革命的暴力而喪生的約有二百萬人。對此，董先生評論說：「這個代價未免太大了」，而「最大的悲劇還在於當初人權宣言中所標榜的革命目標是為了維護自由和平等這些基本人權，而為了保衛而採取的手段竟是扼殺和踐踏這些基本人權的恐怖統治，這又無異是個莫大的諷刺。」

665 托克維爾在《舊制度與大革命》中描寫法國大革命中革命者的共同特點是「缺乏經驗和寬宏大量」，還說：在法國大革命中，在宗教法規被廢除的同時，民事法律也被推翻，人類精神完全失去常態；不知道有什麼可以攀附，還有什麼東西可以棲息。革命家們彷彿屬於一個陌生的人種，他們的勇敢簡直發展到了瘋狂；任何新鮮事物，他們都習以為常；任何謹小慎微，他們都不屑一顧，在執行某項計劃時他們從不猶豫遷延。決不能認為這些新人是一時的、孤立的、曇花一現的創造，註定轉瞬即逝；他們從此已形成一個種族，散佈在地球上所有文明地區，世世代代延續不絕，到處都保持那同一面貌，同一激情，同一特點。我們來到世上便看到了這個種族；如今它仍在我們眼前。[27] 缺乏寬宏大量，太劇烈，太激進，橫掃一切。世上不同地區所使用的口號雖然不同，但革命種族的特點均相似。

赫爾岑曾說，革命者在革命成功前是囚犯，在勝利後是領袖，因此，在當領袖時就會情不自禁地把囚犯道德習慣端出來。中國的劉邦、朱元璋等，也沒有逃出這一不幸的邏輯。儘管他們在勝利之後坐上神座似的金鑾殿，但也常常表現得像個十足的流氓。

27 托克維爾，馮棠譯：《舊制度與大革命》（香港：牛津大學出版社，2013），第二編第二章，頁 153。

667 《三國演義》佈滿權謀、陰謀與詭術。那個時代的英雄只有兩種：一種是超人；一種是策略家與權謀家。中國人後來把關羽、趙雲奉為菩薩，但沒有把諸葛亮奉為菩薩，因為諸葛亮雖是超人，但畢竟是權謀家。

668 欺騙對方。這是三國時代最核心的政治內容。欺騙得愈高明就愈成功，除了騙人之外，還必須不受騙，甚至利用敵方的欺騙反制對方。除了少數之外，三國時代的英雄都是大小騙子。許多大人物都是大壞蛋，滿肚子是壞水。

669 在相互欺騙、你爭我奪的時代，一切人性底層最美好的東西都已消亡，而關羽卻能在華容道放生昔日有知遇之情的曹操，便成了歷史上的佳話。關羽的大刀沒有斬斷人性中那點畢竟是可貴的情誼，這一情誼竟被他放在比國家利益更重要的地位上。關羽這一屬於死罪的背叛行為表明他人性深處所殘存的一點美好東西沒有死絕。

670 《三國演義》中最高的道德原則是忠誠於那個給飯吃和給桂冠的主人。漢朝皇帝曾同時給劉備和曹操以桂冠和奉祿，劉備不謀反，所以是好人；曹操心懷二心，所以是壞人。呂布反董卓，人們看不慣，因為他原是一個吃過董卓飯的人。

671 在三國時代裏，不僅兵不厭詐，而且官也不厭詐，民也不厭詐。曹操在赤壁之戰中一敗塗地，是他自己雖也是詐家，卻忘記自己就生活在其他詐家的包圍之中，因此，他不僅上了黃蓋的當，還上了龐統的當。他以為龐統是個知識分子，不會使詐。

672 經過一場出生入死的鏖戰，滿身傷痕的趙雲救出阿斗。當他把阿斗帶到劉備面前時，劉備揚言要把阿斗摔死，說阿斗幾乎讓他丟掉一員大將。後人評說這一行為時，有的說劉備愛才如命，有的說劉備情誼深重，其實，三國時代只有野心，沒有真心；只有權力遊戲，沒有真誠。

673 在爭奪權力的時代裏，一切都可能變假，連笑與哭也會偽形化。周瑜死後，諸葛亮去弔喪，痛哭一場，這哭是假的。曹操在赤壁慘敗後的逃亡路上，一再大笑，這笑是為了安慰自己和安慰將領，這笑是假的。然而，在這個時代裏，關羽、張飛對劉備的忠誠是真的。在假時代裏的這一點真，叫中國人千秋不忘。

674 《三國演義》讓中國人喜愛不已。近年改編為電視劇後更是家喻戶曉，個個沉醉。玩權術，真是痛快的遊戲。魯迅早說過，中國因為是一個三國氣很重的國家，所以總是喜歡《三國演義》。三國氣，除了義氣之外，還有殺氣、霸氣、匪氣、流氓氣、奴才氣，尤其是還有陰謀鬼氣。

675 三國時代，每個英雄都佈滿心機。猴子那麼單純，但從猴子變過來的生物，最後進化出這麼一套善於欺騙的心機，真是不可思議。看到陰謀、血與屍首，我便覺得人近似猴子時會好一些。距離猴子愈遠，本事固然愈高，但也愈可怕。

676 在三國諸將諸臣中，彷彿唯有吳國的魯肅還老實。當所有對人的信賴都在敵我的殘酷對立中消失的時候，他還保留着一點對人的信賴。他的誠實與呆氣，是時代的稀有物，它幫助了智謀高強的諸葛亮與周瑜獲得成功。戰爭，不一定意味着誠實品格的全部毀滅。

677 忙忙碌碌，爭名於朝，爭利於市，賈府的權貴們爭得金滿箱、銀滿箱，卻僅僅是為了一群沒有出息的子孫。拋頭灑血，爭山於北，爭水於南，革命者血流滿地，最後往往只是為了一群沒有頭腦的乏味的官僚。歷史就這樣在悲劇與鬧劇中行進。

678 戰爭是沉重的。對於失敗者是沉重的，對於勝利者也是沉重的。勝利者不僅需要承受勝利的驕奢，還需要打掃沉重的屍體，收拾佈滿血腥味的戰場，還需要接受歷史的廢墟，負載失敗者可能復活的沉重的亡靈。許多勝利者因為承受不了這種沉重，轉而變成失敗者。

679 絕對的歷史主義者主張，為了歷史的前行，應當大膽地邁出無情的鐵靴，不惜踩死長在路上的無辜的花草；但詩人作家，則無法接受這一觀念，他們天然地站在無辜花草的一邊，為無辜的花草吶喊、伸冤、尋求公道與正義。所以作家詩人總是和政治家發生衝突。

680 瑞典斯德哥爾摩海港裏展覽着一隻巨大的沉船，這是十六世紀瑞典與波蘭戰爭中出征的戰艦。這一戰艦剛剛起航尚未參戰便自沉於港口中。這是恥辱和歷史的笑柄。但瑞典人把它作為展品展示給全世界看。他們把歷史教訓看得比面子更為重要。

681 愛唱高調的中國革命論者，每隔一段時間總是宣佈着他們的社會工程設計工程，但時間總是證明着他們只是一些眼高手低的論客。

682

父與子的矛盾幾乎是永恆的：一個要走已經走過的習慣性的老路，一個要走父輩從未走過的新路。人類因為有這種衝突才有故事，也才有前行的動力。

683

往回走不一定就是開倒車。人有時需要往回走，需要回頭去尋找往前走的根據。西方的文藝復興運動就是一次返回希臘、返回古典的行走，他們正是在返回希臘的路上告別了中世紀的黑暗，走上現代的文明。

684

古老的民族與經歷過許多滄桑的老人一樣，很容易成為「老油子」。老油子沒有任何好奇心，沒有任何新鮮感，也沒有任何正義感。

685

能以誠實的態度對待自己的過去，才能把握將來。過去消逝在看不見的時光中，人們容易隨意編造。

686

能在美國呆下來而且喜歡美國，並非因為美國的繁榮與強大，而僅僅是因為一個簡單的事實，即美國是一個不需要把思想交給國家的國家。每次見到奧林匹克賽場上那一位高舉火把的運動員把火點燃，我就激動得難以自禁。世界雖然還有濃重的黑暗，但總有一代又一代點亮火光的人在，而這些人的體魄又如此健康。因此，不必悲觀。

687 地上沒有希望的時候，就向天空與地底尋求希望。魯迅不信神，沒有天空的希望，就把希望寄託於社會底層。地底埋藏着社會脊梁。倘若再發現地底也沒有希望，就只有絕望。

688 人在貧窮時常伴着純樸，在富裕時則呈現出文明，最可怕的是由貧變富的過程中，人們常在此時不擇手段而如狼似虎。

689 未來是一個迷，過去也是一個迷。人類在過去走了各種不同的道路，但都一樣得不到喘息。

690 韋伯在《中國的宗教》中說：「中國的考試是要測試考生的心靈是否完全浸淫於典籍之中，是否擁有在典籍的陶冶中才會得出的，並適合一個有教養的人的思考方式」。在韋伯的發現裏，其實還發現中國教育的一個秘密：所有的教育都讓人丟掉鮮活的個性。

691 中國人只有在「我負天下人」或「天下人負我」的兩種態度中進行選擇，沒有對上帝的負責和對歷史的負責，也沒有對自身——生命本體的叩問。

692 所有的中國人都在嘲笑阿Q，但所有的中國人都在製造讓阿Q永遠存活的土壤。阿Q不滅，是因為到處都瀰漫着阿Q的空氣。阿Q作皇帝夢不可視為笑話。阿Q真的當起皇帝，一定會有許多人對他三呼萬歲萬萬歲。

693 人一面在創造文化，一面又在被自身創造的文化所束縛。人一面在追逐知識，一面又被知識剝奪天性中的純樸與天真。歷史的行進充滿悲劇性，人生的努力也充滿悲劇性。

694 胡適沒有霸氣。有學識而沒有霸氣，便是美。生活在人間而獲得知識本是幸事，但因知識而稱霸而變成半個魔鬼卻是不幸。上帝把知識視為禁果，理由很多，而這禁果會使人膨脹和產生統治慾，以至使人變成凶神惡煞，必定也是一個原因。

695 看到商人統治文人，蠢人主宰智人的現象，一位朋友憤慨地說：歷史真不公平。我對他說：歷史也常常是公平的，它的近乎殘酷的篩子總是篩掉無價值的東西，而留下真和美的東西。這些留下的並非百萬富翁和帝王將相，而是被壓迫過、被蔑視過的精神價值產品。這是歷史不變的、固執的好性格。

696 父輩的文化傳統太雄厚會造成可怕的病症：那裏什麼答案都有，再也不必提出問題。沉重的歷史可能會壓制提出問題的能力。五四運動的先驅者，他們最為寶貴的精神是敢於對雄厚的父輩文化提出問題，不怕歷史的沉重。

697 歷史短反而珍惜歷史。美國是一個幾乎沒有歷史的國家，所以它就特別珍惜自己的歷史。他們計算歷史的時間，往往不是一百年，五十年，而是一年，一個月，甚至一分鐘。

698 故國歷史的漫長，固然造就了一些附麗於它的傑出的歷史學家，卻也產生出被歷史所塑造的、心靈過於複雜的子孫。包括毛澤東，他也被「二十四史」和《資治通鑒》所塑造。許多中國人成為中國歷史的奴隸產品。

699 真正能消解歷史傷痕的，是寬容，而不是追究罪責。錢穆先生說，對於過去的歷史，應有一種溫馨與敬意，一種同情的理解。

700 二十世紀中國知識分子均被放在救國之路上，把筆桿變成槍桿，因此百年來表層的情緒噴射多，而深層的精神創造少。

701 以往的精神大師反叛社會，也給社會留下真知灼見。現在的前衛藝術家和時髦的學人，為了表現出「新銳」，卻迴避現實的根本，只攻擊大師，變成反叛反叛者。反叛反叛者，乃是媚俗與媚上。

702 只有宗教教徒和共產黨人不會感到迷失。前者有《聖經》指引，後者有馬克思揭示的從原始社會到共產主義的人類通途。我未進入宗教，但加入過共產黨，奇怪的是我與許多共產黨人不同，仍然充滿迷失感。我常不知人類該走向何處、中國該走向何處、自身該走向何處？我有時覺得世界到處都是路，有時覺得世界根本沒有路。不管有路沒路，我都在走，但是避免「以耶穌開始而以撒旦結束的行為」（雨果語），即避免落入撒旦的深淵。

703 貧窮，最能產生革命。革命是一種渴望改變貧窮的激情，一種通過最高的速度改變現狀的激情。在這種激情的燃燒中，人們容易走入瘋狂，把所有主張理性一些、冷靜一些的知識者都視為落伍者。

704 一個國家，如果只有富強，而沒有自由，就會變成羅馬帝國。在這個帝國裏，只有兩種人，一種是奴隸，一種是奴隸主。而多數人是被鐵煉鎖住肉體與心靈的奴隸。羅馬帝國的奴隸主法律允許奴隸開口吃飯，不允許奴隸開口說話。在他們看來，麵包的功能是雙重的：既可以填飽人的肚子，又可以堵塞人的嘴巴。

705 支撐世界的是敢於引火燒身的人，而不是明哲保身的人。聰明的人看到火苗就躲得遠遠。說世界是傻子創造的，並沒有錯。

706 我瞧不起小說史、文學史的教科書。不僅因為它的複製性太強，而且因為透過密密麻麻的文字，可看到它活埋了許多真的作家，又在教人怎樣活埋以後的作家。

707 登上美洲的殖民者，在征服印第安人的激戰中，最主要的武器是槍炮，但酒也起了很重要的作用。他們知道印第安人嗜酒，便用各種各樣的美酒把這個種族灌醉，讓酒化解他們的一切反叛。

708 通向暴君的心靈只有獻媚的一條道路，通向光明的道路卻有千條萬條。

709 本世紀的中國知識分子一直生活在匆匆忙忙之中，每個人都急於表現自己的才能和價值觀念。愈急就愈淺。

710 愛因斯坦的廣義相對論說明：時間不是平坦的，它被其中的物質和能量所彎曲。連看不見的時間，連箭一樣逕直飛奔的時間都不平坦，怎能期望人生之路毫無坎坷。

711 托爾斯泰心愛的娜塔莎，在與彼爾結婚之後完全失去了少女時代的美。時間剝奪了她的活潑、苗條和蓬鬆的頭髮，只給她留下肥胖、咶噪和常常發楞的眼睛。時間對生命的剝奪，不聲不響又殘酷無情。

712 莎士比亞筆下的馬克白，卑鄙地弒殺曾經信任過他的國王，本無悲劇意義。但他不能等待明天的雄心和把握住此時此刻生命時間的氣魄，卻使他贏得一種存在價值。這種價值的毀滅也具有悲劇意義。悲劇所以構成悲劇，就因為衝突的雙方都具有理由。

713 德里達的解構理論是一種把閱讀技巧化為哲學的策略。他針對以往哲學中的兩極和一個中心點的思維，揭露這兩極思維中的不平等，即把某一極的中心移向邊緣而完成意義的轉換。他不是消滅中心，不是消滅意義，而是改變位置與意義。他把自己的腦袋變成一把解剖刀，解構着西方龐大的形而上體系。

714 夢是主體的預想。夢對於客體可能不真實，但對於主體卻是真實的。屬於主體感受的夢是真的，屬於主體編排的夢則可能是假的。烏托邦是主體編排的夢。對於原始人來說，宗教想像是真實的；對於曹雪芹來說，警幻仙境這一超驗世界也是真實的，這不是物世界的真實，而是主體感受的真實。

715 用目的論的眼睛看唐吉訶德，覺得他荒誕；用過程論的眼睛看唐吉訶德，覺得他偉大；用老成的眼光看唐吉訶德，覺得他是瘋子；用少年的眼睛看唐吉訶德，覺得他像自己一樣，是個天真的赤子。

716 維德根斯坦把傳統哲學的主客體問題放下，把此問題轉變為語言能否表達的問題，以工具代替存在。但他否認語言是主客體的橋樑，以為語言本身就是目的。他很了不起，消除老題目，走出老爭論，獨創一個理論框架。但哲學也不能停止在他的框架上，主客體世界在今日仍然焦急地等待哲學家說明整個世界如何去感知。

717 維德根斯坦在《哲學研究》中說[28]：我對人的態度是對一個靈魂的態度。他並不認為每個人都有靈魂。與以往某些哲學家相反，許多人對人的態度只是一個對待肉體的態度，即只是估量一個肉體擁有多少權力與多少金錢的價值。

718 人的面前總有高牆厚壁，難以迴避。人的幸福感產生於超越高牆厚壁的一剎那，在這一剎那中，人的本質力量精彩地對象化，從而意識到自己的價值。難點的征服，困境的突破，使人飛躍，使人獲得存在價值的確證。

719 沒有概念不能描述，但概念又限制存在本身。於是，描述豐富的存在時又必須超越概念。人類的思維與寫作，永遠在概念與存在的緊張中進行。

720 精神價值創造的強者擁有一種比常人堅忍十倍、堅忍百倍的韌勁。這種韌勁就是不計一日之短長，不趕時尚。他們知道時間是人最強大的敵人，但又是最偉大的朋友。

28 維德根斯坦：《哲學研究》（北京：三聯書店，1992）。

721 東方的哲學由色入空，西方的哲學則由色入理、由色入神，它們努力尋找色背後的觀念、真理和神（上帝），認定色背後的東西可以把握，而中國的莊禪哲學卻認定色背後的東西是一個空，無法把握，因此只相信悟性的實在，不相信理性的實在。

722 孔子重視對立，所以就重視他者。重視他者的人一旦多了起來，為愛而死、願意殺身成仁的人也就會多起來。烈士產生於對他者的重視。

723 莊子否定人的感覺世界，一切所謂色都是空，都是幻象，連死也是幻象。這樣，他對死固然沒有恐懼，但在生中也不作價值判斷。一切任其自然。

724 西方的智者對感覺極端重視，感受極為強烈。他們喜歡乾淨的屋子，雅致的擺設。乾淨與不乾淨，在他們眼裏極不相同。但丁在《神曲》中表現出對地獄的極端恐懼。地獄是他的感覺世界。但莊子決不會恐懼，地獄也是一片混沌，若有若無，亦真亦假。

725 拉岡不相信無意識是行為的動因。正如食慾不是吃飯的動因。他發現任何東西都是互動的。你看杯子，杯子也看你。你說詩歌，詩歌也說你。一切事物都互為主體。有相互的距離，又有相互的緊張，既是對象（他者），也是主體。

726 主體性原則是一種選擇原則、超越原則和原創原則，它的要點包括：（一）我選擇，不是我被選擇。即「我願意」，不是我「必須」。（二）我不是在有限的範圍內選擇，而是在無限的範疇內選擇——我超越現實的限定。（三）我做他人還沒有做過的事，而不是重複他人做過的事——我超越他者。（四）我做自我還沒有做過的事，而不是重複自己做過的事——我超越自身。（五）不是我去保留傳統，而是傳統保留我。我是我的最後目的。

727 現代主義所講究的「一個」，一旦被不斷「複製」，就會變成後現代主義。後現代放棄藝術的異在性和自在性，讓個性溶入大眾生活，變成只有混雜。「舊時王謝堂前燕，飛入尋常百姓家」，這就是從現代飛入後現代。

728 腦子心靈可能被制度化，身體也可能被制度化，人在坐牢的時候，身體就被制度化了。人的任何一部分被制度化後都是痛苦的，全部被制度化便是機器。

729 福柯認為，當你把知識當作一種真理時，就把知識變成一種權力（霸權）。而把知識視為四海皆準的真理，則是一種絕對權力。絕對權力使真理失去開放性。

730 當作家偉大到可以充分發揮想像力和主觀精神時，他也最緊密地擁抱客觀世界，此時，他實際上也最接近生活的本體。他未被主體與客體之間的高牆帷幕所遮蔽，也未被先驗的各種知識、概念所掌握，他不是生活在概念之中，因此，他便可能全身心擁抱到生活的硬核，並與這種硬核一起燃燒，於是，他最主觀也最客觀。

731 人總得有點夢，生命總得對未來有所期待和有所投射。薩特《牆》中那個在太陽一出來就面對死亡的被判處死刑的囚犯，因為完全沒有未來，就變成不再是一個人，而只是一堆身體的感覺。夢是虛幻的，但也是真實的，完全沒有夢的存在並非真實的存在。

732 因為想逃避宿命，想向宿命挑戰，所以我才喜歡哲學。想到死的宿命，我就想到應當好好生活，捕住每一剎那，給孩子們留下一點不滅的文字的光彩。文字也許會衰朽，也許衰朽又是一種宿命，但還是要挑戰這一宿命。

733 生命曾從高峰掉入深谷。是什麼力量把我推入深淵，是什麼力量幫我從深淵中超脱？我叩問着。這種命運的神秘開啟了我心靈的門窗。從此，我的思路開始伸向超驗的世界。愛因斯坦説：「我們所經驗的最美好的東西，就是『神秘』，它是一切藝術與科學的泉源。與這種感情無緣的人——從不曾為它驚訝駐足的人，實在無異於睜眼的瞎子，枉來人世走一遭。」[29]

734 生性不喜歡理論卻偏偏以從事理論為職業，因此，我的文學理論總是在告訴自己和告訴他人：作為作家，你只執行你內心的絕對命令，不必執行他人的命令。如果你只是一個他人理念的執行者，那麼，在未創作悲劇之前，你就先是一個悲劇人物。

735 海明威説，美國作家到了某個年紀就變成嘮嘮叨叨的老媽子了。這不只是美國作家。人過中年，就會面臨講廢話的危險。人要防止神經的鬆馳，作家恐怕更該如此。

---

29 引自愛因斯坦，陳曉南譯：《廿世紀智能人物的世界觀》（台北：巨流圖書公司，1993），頁80。

736 在可視的範圍內，作家的筆永遠達不到照相機的水平。但作家卻能進入不可視而可感知的無邊的心靈世界和屬於這個世界的燦爛、曲折、歡樂與悲傷，以及這個世界與可視世界那種活生生的關係。

737 走過世界的許多地方，才真的知道人類不簡單。面對看不完的城樓和說不盡的高塔殿宇，只能說，美在人間，功勳屬於人。世界儘管還有許多黑暗的角落，但不能否認人類的神奇。神的奇跡是創造了人，而人的奇跡是建造了美麗的世界。

738 兩人相逢。這是什麼意思？往昔無窮，今日無數，在茫茫人海中茫茫時空中，我們竟然能在此時此刻共此燭光、共此月光，這就是偶然，這就是緣分，這就是神秘。有偶然與神秘的瞬間，人才豐富，文學才豐富。神秘不是鬼神，而是不可知不可預約的偶然。

739 文學的詩意是讓讀者閱讀之後留下的感覺，不是作者刻意留在文本的詞章字。詩意來自情感，來自思想，來自性格，來自本真的心靈，不是來自技巧。

740 現代基督新教神學泰斗卡爾·巴特（Karl Barth）在莫札特誕辰二百周年時懷着感激之情，寫了《致莫札特的感謝信》，這封信是靈魂的獨語。他在信中寫道：「我所要感謝您的，簡言之就是我發現無論何時聽您的音樂，我都被置於一個美好而有秩序的世界的門欄之前，這個世界不論在陽光燦爛的日子，還是在雷雨交加之時，無論在白天還是在黑夜，都保持美好和秩序，而我作為二十世紀的人，每次都從中獲得勇氣（而不是傲氣！），獲得速度（而不是超速），獲得純潔（而不是單調的純淨），獲得安謐（而不是懶散的靜止）。有你的音樂的辯證法縈繞耳際，人們既可以使青春永駐，也能夠讓息境到來。一言以蔽之：人們能夠生活。」[30] 文學藝術，就是使人的生活成為可能的自由存在。

741

埃及神話中的不死鳥菲尼克斯（*Phöinix*），每隔五百年自行燒死，然後在灰燼中再生。黑格爾在《歷史哲學》中說：「這不死之鳥終古地為它自己預備下火葬的柴堆，而在柴堆上焚死牠自己；但是從那劫灰餘燼當中，又有新鮮活潑的生命產生出來。」[31] 自我焚毀，常常是自我鑄造的開始。所以可把自己的文字比作煉獄的灰燼，並在劫灰的餘燼中寄託着再生的期待。

30 巴特，朱雁冰等譯：《莫札特的自由與超驗的蹤跡》（香港：牛津大學出版社，1996）。
31 〔德〕黑格爾，王造時譯：《歷史哲學》（北京：三聯書店，1956），頁 114。

742 固執於一個立足點，固執於一條國界線，固執於一個自滿自足的空間，都影響自己眼界的飛升。眼睛內涵的單薄，導致精神內涵的單薄。

743 把一切意義都用解構刀解構完了之後，世界就剩下一個不知所措的完全迷惘的自我。

744 對於神經分裂的人，可以通過藥物療治，也可以通過意義療治。人一旦發現生的意義，靈魂的碎片就可以獲得新的整合。

745 認為世界的一切都是假的，沒有什麼可以信賴，沒有什麼可以珍惜，沒有什麼可敬重，人就剩下一條出路：充當痞子。痞子是絕望的產物。

746 法國的雕刻家布沙當說過：「當我讀着荷馬的史詩時，我感到自己似乎有二十英尺高的身材。」讀荷馬、莎士比亞的書，確實使人感到高大。奇怪的是，當我讀到故國那些刻意把人寫得又高又大又全的英雄時，我卻感到自己和同時代人身高只有幾英寸，個個都在領袖的陰影下爬行和舉着火柴般的手臂。

747 我雖然不是基督徒，但從不嘲笑背負十字架的基督的偉大形象。集全世界的苦楚於一身的神之子，對於人類的墮落永遠是一種遏制。當自私自利的狂風席捲人性海洋時，基督至少是一座偉大的屏障。

748 在禪悟中，出現在我面前的是無窮無盡的幻境。這些幻境並非實在，但我的心理活動是真實的，因此，這些幻境便是真實的。文學具有心理真實，它才廣闊無邊。

749 人性的世界豐富得難以形容，豐富得讓世世代代的詩人作家難以說盡。人性世界一旦被某種主義和某種概念所省略，就失去它的精彩。文學的絕境是作家在權力的強制之下，只能面對一個被省略後的虛假而單薄的世界。

750 《尤里西斯》的主角布魯姆是一個從匈牙利來到愛爾蘭落戶的猶太人後裔，他曾對歧視他的本土人說：「侮辱和仇恨不是生命。正直的生命是愛。」也許因為我經歷過只有侮辱與仇恨卻沒有愛的時代，所以對生命特別敏感。在剩餘的人生歲月中，我只關注生命和有關生命的文字，離開生命的文學，留待下一輩子再讀。

751 愛可以使生命力復蘇，這是克爾凱郭爾反覆說的意思。「年輕姑娘使生命力復蘇的力量是何等強烈啊！無論是清冽的晨霧、微嘯的金風，還是寧靜的大海、清醇的美酒，世間無限美妙的一切都不曾賦有這使生命力復蘇的力量。」（《誘惑者的日記》）丹麥哲學家說的「生命可以點燃生命，生命可以激活生命的道理」。一個理性的哲學家如此推崇「愛」的力量，可見「愛」是不可輕易貶斥的。

752 在古希臘的藝術世界裏，維納斯和高潔的諸神們溫柔敦厚，祥和靜穆，他們超越人間醜惡，生活在絕對的自由自在裏。在那裏，他們保持着神的尊嚴和高貴，身上沒有污水，眼裏沒有焦慮。而羅丹卻完全踏入人的世界，這個世界非常具體地求生求勝，為現在和未來而搏鬥。每座雕像，都是人內心的衝突與緊張。從抽象的思想者到具體的巴爾札克，都是生命的張力場。在張力場裏，我們從沉默的塑像身上聽到傾訴、申辯、吶喊、呼喚。人太矛盾、太複雜、太豐富了，在文學上充分表現不容易，在藝術上特別是雕塑上表現更不容易。但是，羅丹卻把它表現出來。羅丹不愧是天才，他用雙手雕塑人的時代。

753 屈原、李白、杜甫、曹雪芹、莎士比亞、托爾斯泰、哥德這些偉大詩人與作家，就像我家鄉的大河，而我一直是在河邊舀水的小孩。如果不是他們的澤溉，我是不會長大的。我的生命所以不會乾旱，完全是因為我時時靠近他們的緣故。

754 許多人與我相識之後便永遠分開了，我忘了他們的一切。但是，許多偉大思想家的名字，在第一次見面之後就永遠住進我的生命，再也不離開我。他們成為我的靈魂的一角，我甚至相信：我死後還會和他們二度相逢。

755 因為朱生豪，我從少年時代開始就生活在莎士比亞的燦爛世界中；因為傅雷，我才能把遙遠的巴爾札克與羅曼·羅蘭的人性激流吸進自己的驅體之內。我的文學大門是這兩位卓越的翻譯家打開的。因為他們，我很早就擁有巨大的精神財富，從未陷入貧窮。因此，我一直把朱生豪和傅雷視為自己的恩人。

756 魯迅被利用的悲劇命運說明：人們可以把一個活生生的最有生氣的文學存在傀儡化，即用統治思想對此存在強行同化或非人化。活人可以成為傀儡，死人也可以成為傀儡。

757 每個黎明，當晨曦降臨大地，我便感到人類整體的光線輻射到我的書桌，並感到，在這一瞬間，四海之內的無數兄弟正在和我共赴人生之旅。此時，我覺得自己既身處孤島，又身處曙光瀰漫的海洋中。

758 每次踏着草地漫步，總是被無名的小草所感動。每一年都有嚴寒嚴霜嚴雪，但每一年都有她獻予大地的春明春色春意。小草尚且如此難以征服，更何況人的生命。想起小草，我對生命就滿懷信念。導師，常常是腳下與身旁的小精靈。

759 當秋葉紛紛飄落的時候，我突然對着園裏的秋花秋草秋樹產生一種感激之情。她們陪伴我渡過了春天和夏天，和我共處美好時光。女兒去上學，妻子去上班，唯有這些鮮花與草木和我一起守望着寂靜的百草園。無論是春的歌吟還是夏的絮語，都與我的心思相通。她們天生有一種高尚的本能：只是默默自生自長，從不騷擾同類與異類。

760 我曾從鑽石身上得到啟示：生命堅韌的光波應來自體內長歲月的積累。資源在身內。早晨的露珠也閃光，但它畢竟是仰仗身外的太陽。

761 現實中的劫難是溝壑，現實中的誘惑也是溝壑。溝壑結成恢恢巨網，唯有從網中跳出，才能進入碧波萬丈的大海。

762 八九年前，當我發出一聲「救救孩子」而漂流海外之後，故國所有的書籍、報刊連同朋友的文章都把我的名字抹掉。抹得非常乾淨。然而，我的腳步繼續着，足音繼續着。雖受挫折，但我仍然生活在對人類的絕對信賴之中。這種信賴不是對他人的賜予，而是對自身的賜予：我活在信賴之中，便活在平靜而深邃的精神生活中。

763 每一個大學者大詩人去世之後，我總想知道他們怎樣戰勝身外之物的誘惑。每一個偉大的精神價值創造者，一定是個戰勝世俗誘惑的勝利者。戰勝誘惑比戰勝逆境更難。

764 明知生命最終要變成化石，還是要努力開花結果，明知生命是一次邁向墳墓的悲劇性旅行，但還是要煉就一雙善於疾走的雙腳。

765 在一次黃昏的漫步中，我看到遠方的天幕上太陽正在徐徐降落，而在落日的餘輝中，我又看到在面前的柏油小路上，一對白髮蒼蒼的老夫婦手牽着手踏着最後的光輝從容地往前走去。此時，我突然悟到，覺得人的情感也有太陽般的永恆，即使到了生命的黃昏時節，也還是那麼堅韌的存在着，在令人失望的世界中，這種平常的人生圖景常常給我力量。

766 這一刻精神很好，下一刻也許非常疲倦，應當抓住精神很好的一刻。在這一刻裏努力抽絲，在這一刻裏努力編織錦繡，在這一刻裏留下生命結實的軌跡。身心的貧困，就因為總是等待着下一刻。

767 每一天的日出日落，每一季節的花開花落，都在召喚生命的不息前行。造物主賜予千萬個日日夜夜，我竟找不到一個可以停步的黃昏或早晨。

768 羅曼·羅蘭曾說，生活中真有價值的東西很少，只有「人」才是最重要的。英雄所表現的美是爆發性的美，而人表現的美則是覆蓋一切時間、無所不在的美，所以我們要努力做一個「人」。

769
腦中的智慧容易被人發現，但心靈的精彩卻容易被人忽略。發現心靈不是靠肉體的眼睛，而是靠心靈的眼睛。所以何其芳說：以心發現心。我雖然不是基督教徒，但我承認，基督那顆被愛所折磨的心的確太精彩了。

770
生命激情的保持，當然要靠頭腦與心靈，但也需要仰仗雙腳。雙腳走出去發現世界、發現生活。雙腳的跋涉與登臨，不僅使你發現滄海的新節奏，而且還會帶給你生命的新季節。

771
好些黃皮膚的自由主義學人都是專制主義者。從他們的文字與行為的巨大反差中，我懂得自由在身內而不在身外。自由的硬核不是高頭講章中，而在覺悟的內心中。有這硬核，便不會理會外界的各種目光而堅定地走自己的路。

772
無論是富裕還是貧窮，無論是歡樂還是困苦，無論是政治還是藝術，各種生活都可以過，但不要喪失真實的自己。

773
意識到自己立於地球之上：身處無邊大宇宙系統中最美麗的地點，無數生命壯觀尚未欣賞。僅此理由，就足以使我熱愛生活。

774 已完成的一切，並非終點，乃是起點。像逃離黑暗與專制，我竭力逃離「已完成」。我知道沉湎於已有的果實，意味着此後的生命不再開花。所以我把自己界定為一個永遠的「未完成」。

775 看到成年的男人與女人被訓練成羊和獸，已讓我傷感，看到天真活潑的少男少女變成羊和獸，更使我悲傷。

776 檸檬橄欖的芬芳，波光濤語的柔美，麗日霽月的顏色，並不難感受到。但心靈中無聲的音樂，看不見的精彩，還有它的足以喚醒其他生命的提示，卻不容易發覺。

777 歷史的有限記憶牢牢地記住那些越過道德邊界的惡行，如焚書坑儒、文字獄等。儘管人間的權勢者企圖通過權力抹掉這些惡行，但歷史還是記住它。這種記憶，正是歷史的良知。

778 天堂到處都有，地獄也到處都有，樂園與牢房均在附近。對我來說，這兩者都不重要，重要的是不斷地往前走去，走得愈遠愈好，走到心靈的節拍與宇宙的節拍同一韻律，那裏便是偉大的家園。

779 靈魂也有年齡，只是難以統計。許多人在進入墓地之前，早就剩下一副雙腳支撐的軀殼。他們的肉體年齡八十歲，而靈魂的年齡只有四十歲。靈魂的年齡與肉體的年齡並不相等。

780 在我眼裏和耳朵裏，悲傷是物質性的。人的呻吟與空中的雷聲一樣響亮。語言的暴力，也是物質性的，它與刀斧一樣可以殺人。

781 想起人類思想家巨大的頭顱，想起他們像我家鄉田野裏的父老一輩子埋頭耕犁，想起他們晚年因為勞作過於辛苦而發顫的雙手，我就不敢偷懶。

782 因為自己的地位高了，便居高臨下，把別人看低；因為自己的地位低了，便抬頭仰視，把別人看得過高，這都不是正常的眼睛。勢利眼產生於主體與對象的位移之中。

783 人類身外的各種束縛和壓迫，最終均可找到解除的辦法，最可怕的是心為形役，自己做自己的奴隸而執迷不悟。我的生命解剖學乃是把自己作為標本，不斷進行自我解構。解構到疼痛處，便對人生有所領悟。

784 小乘佛教重在救自己，大乘佛教重在救他人。一是致力於自我修煉，一是致力於普渡眾生。兩者均能給人以啟迪，但兩者也都能使人走火入魔。自我強調得太過分，以為自己可修成聖人和超人，便使世界產生了許多偽君子和小尼采；「獻身他人」強調得太過分，要求人人都去當烈士與英雄，又使世界產生無數工具似的奴才和沒有頭腦的革命狂人。打破我執與他執，回到平常的心境中關懷、思索與創造，也許可以贏得一個真實的自己。

785 被惡的欺騙了一萬次，仍不放棄對善的信念；被假的欺騙一萬次，仍不放棄對真的信念；被醜的欺弄一萬次，仍不放棄對美的信念。在磨難中，才擁有道德的韌性。

786 我一無敵人，二無秘密。只以公開的思想、文字與世界交往，並形成與世界的關係。我心理上的自足自在，完全得益於這一關係的透明。

787 歌德的哲學是「觀」的哲學；陶淵明的哲學是「止」的哲學；孔子的哲學則是亦觀亦止。人能「觀」到一個美麗的境界，很幸運；能「止」於一個美麗的境界，也很幸運。「激流勇退」論者，叫你果斷地止於至真至善至美。

788 神不會走到歧路上，而人卻一定會有許多曲折。因此，神的足跡可讓人跟隨，而人的足跡則只可借鑒。後者的足跡才是價值無量。

789 人格是人自身的乳汁，它取之不盡並會滋潤整個曲折的人生。

790 儘管我對後現代主義有許多保留，但對於後現代理論家李歐塔（Lyotard）的尼采式漂泊，卻很欣賞。他說：「只有當我不再為我的無力感而喪氣，另一種思考方式才可能被勾畫出來。我不去證立我的思想，正如大海中無法對抗的泅泳者，借着漂泊以尋找出路。」[32] 我喜歡思想的漂泊，喜歡肯定生命能量自由流動的哲學，喜歡不被固定在人造壓抑形式中的各種話語。

791 在我的字典中，只有罪人的概念，而沒有敵人的概念。把自己的兄弟定義為敵人，這是專制者權力字典的獨斷。拒絕承認這種字典對人的所有注疏與闡釋，我的生活才開始獲得輕鬆與快樂。

---

32 轉引自道格拉斯、凱爾納等，朱元鴻譯：《後現代理論》（台北：巨流出版社，1994），頁195。

792 人生來並不是狼，是後來才變成狼的。「後來」會變成狼，常常是因為作為人活不下去，活不下去還要活而且還想活得很風光，就在嘴唇那邊長出狼的牙齒。我看到許多人變成狼，但沒有恨他們，只為人的生存狀態而悲哀。

793 高爾基在描述托爾斯泰時，有兩個意象使我難忘。一是「巨鯨」的意象，一是上帝的意象。他說，如果托爾斯泰活在海裏，一定是條鯨魚。還說，他看到托爾斯泰那個樣子，簡直懷疑他就是上帝本身。前一個意象告訴我創作需要大氣魄；後一個意象告訴我作家應是開闢一個新天地的原創者。

794 被打斷了一隻腿之後，對生活必有所悟。經歷了一次大浩劫和大苦痛之後，對生命的理解必定和以往不同。賈平凹有次替我看相後說：你一生一定會跌倒一次，並且是傷筋動骨，留下傷疤。倘若至今還沒有跌過，以後也一定會發生。我立即拉起褲筒，指着腳上的傷疤：「你說對了。」這之後，我對自己說，沒有挫折和失敗，便不可能有人格的完成。其實，我從滑冰競賽中得到許多啟發，其中一點是，幾乎所有的最精彩的優勝者都伴隨着一連串的跌倒。

795 陸游說，人生唯有情難死，《紅樓夢》表現的也是人生唯有情難了。但是，這個世紀的女作家張愛玲卻告訴人們：情是最容易死亡的，不要相信「天長地久」的許諾。在一個充滿慾望的社會裏，在人體死亡之前，情早已死亡。「慾」只講收入，不講付出。而「情」則是無休止的付出。

796 生時那麼辛苦，彷彿為他人繁忙，然而死時又有多少人真的為你傷悲呢？陶淵明的詩云：「向來相送人，各自還其家，親戚或餘悲，他人亦已歌」。那些為你送葬的朋友，回到自己的家裏，就忘了悲哀，照樣唱起他的歌。感受到這一點，才知道人生原是一場大寂寞。

797 尼采在《善惡的彼岸》警告人們：「和怪物打仗，自己須避免成為怪物。」茨威格在《異端的權利》中為異端辯護，謳歌異端的美。在這些異端身上有一種人格的偉大力量：敵手的仇恨不能點燃他們的仇恨，敵手方面的卑鄙不能使他們卑鄙。

798 時間把所有人都變成過客，把萬有萬相包括最輝煌的人生都變成暫時的存在。意識到時間更改一切的力量，我才認真地抓住現在這一刹那，把現在這一刹那視為唯一的實在，把理想視為延長這一刹那和美化這一刹那的夢。

799 自由是理性動物按自身的意志去行動的可能。康德用他一生的著作與智慧去反駁自由之不可能。在中國，「自由不可能」這一命題更是要靠幾代知識者去反駁。

800 立足於樂觀，浩劫一到，就抱頭鼠竄；立足於悲觀，面對浩劫，反而冷靜，不容易失望。叔本華的悲觀主義也給人以力量。他的哲學告訴人們，對自己的位置要有個清醒的認識，以便在世界最壞的地方站穩腳跟。這個最壞的地方，可能是唯一可以立足的地方，你別無選擇，但不會因此而驚慌。

801 於大雪紛飛中我拜謁諾貝爾的墓地。在低矮的墓碑上，除了他自己與四位家人的名字之外，什麼也沒有。那一刻，我悟到諾貝爾是一個有神性的人。他知道科學是分裂的，脫離神性的科學只是技術，技術可能是現代生活的殖民者。它可能侵犯人類並造成人類的災難。只有與慈悲、愛、憐憫、同情心等神性相連結的科學，才能造福人類。所以他臨終時獻出全部財富而設立和平獎金，他預見到：離開和平的理想，科學將導致世界的末日。

802 余英時先生對孟子的「富貴不能淫，貧賤不能移，威武不能屈」作出了一點補充，說知識分子還需要「時髦不能動」，要有冷觀潮流的骨氣。知識人的獨立品格，就在於能置身於時髦之外。趕時髦，不僅膚淺，而且愚蠢。

803
有的路走的人很多，有的路走的人很少。選擇人少的路不一定成功，選擇人多的路不一定失敗，重要的是在自己選擇的路上投入些什麼，投入了多少。

804
上帝在為人類創造新的世界時，首先打破了他為人類營造的樂園。他知道沉緬於樂園的人不可能開闢自己的生活。人類生活的前景，不可能是樂園。樂園是開闢開拓的過程，不是最後的結局。

805
我所知道的萬物萬有中，沒有一種東西比心靈更富有彈性。它可以小得像一粒芝麻，也可以伸展得像個宇宙。人的心靈可以自我塑造。心靈氣量可以不斷增長，它可以像宇宙那樣不斷伸延擴大。心靈肯定沒有邊界。但它有許多不能越過的道德底線。

806
荷馬創造了人類精神創造史上第一部偉大的史詩，但他是盲人。雙目失明有時是上帝的賜福。上帝在關閉他的雙目之後讓他敞開內在的眼睛觀察、感受一切，於是，他看到肉眼所看不到的無比豐富的人界與神界。

807
有的人是降生下來之後才成為「多餘人」，有的人則尚未降生就被當作「多餘人」，未降生就被拒絕。然而，一個不被承認的生命個體，往往能拼命地開掘他的全部生命潛能，從而獲得更豐富的人生。

808 社會所形成的劫網如同龐大的蜘蛛網，人們總是譴責結網的蜘蛛，而忘記自己也是一個結網者，曾參與過編織錯誤的大網絡。

809 三月的一天中午，我沐浴着科羅拉多高原初春和煦的陽光。獨自坐在陽台上，聽不到車鳴、馬喧與人籟，天地之間唯有我與柔麗的太陽相處。此時，一陣喜悅湧上心頭，突然覺得陽光非常甜蜜。我常品嚐書本的甜蜜，卻忘記陽光的甜蜜。記得弗蘭西斯・培根在《論孤獨》中說過，尋找孤獨的人很像神或牲畜，可此時的我覺得自己更像人。神與牲畜怎能知道陽光的甜蜜。在甜蜜的陽光下思索着的人是何等幸運？不僅天賦的尊嚴具有太陽般的肅穆與色彩，而且身體與靈魂都是完整的。在這個被稱作「後現代」的喧嘯社會裏，人與文化均成了碎片，而我卻能贏得一種完整，並能以此種完整去領悟神秘與永恆，這又是何等的福分？想到這裏，我便對自然和一切援助過我的兄弟姐妹充滿感激，並帶着這種感激繼續我的良心獨語。

810 通過自我審視達到另一個自我。嚴格的自我審視很難，誰願意去打碎自己辛苦建造起來的自我偶像呢？然而，唯有能告別自我偶像者，可不斷地贏得更遠的前方。

811 曾聽馬建講述西藏天葬的故事。他說，當他看到利刃像削蘋果似地削下人的臉皮，他的世界觀念全變了。人類世界的掙扎與爭鬥，最後全化作餵食蒼鷹的食品。唯一的勝利者是鷹。這種飛翔的死神乃是最後的權威。

812 人因為有價值，所以才發生悲劇。動物經受了比人痛苦千百倍的匱乏、折磨和死亡，但它們沒有悲劇感覺。悲劇是對人的價值的發現、肯定和謳歌。

813 金庸的小說寫了許多英雄，他們一生下來就揹上上一代形成的關係，這種關係使他們難以擺脫悲劇性的人生：本質先於存在的人生。人們常常注意命運悲劇，性格悲劇，卻往往忽視這種存在悲劇：人一生下來就是父輩關係的人質。充當人質，是對自身的否定。充當歷史的人質，則是被歷史所否定。充當制度的人質，又是被制度所否定。充當關係的人質，就是被關係所否定。

814 生活在自己心愛的世界裏，才有充分的時間不斷地領悟宇宙人生。這是我選擇以文學為職業的原因。因為人無比豐富，文學才無比豐富。人對客觀世界的認知沒有止境，對主體世界的認知也永無止境。認識你自己，這是一個永遠無法終止的課題。馬克思認識到人是社會關係的總和，這是認識的一個站口，而不是終點。世界讓你說不盡，你自己也讓你說不盡。

815 漂流的自由內涵，在我心中與筆下包括：不被已知的結論所束縛；不被沉重的句號所束縛；不被政治權力與知識權力所定義的終極真理所束縛；不被故鄉與國家的邊界所束縛；不被自己的專業領地與自我權威的幻相所束縛。從結論、句號、權力真理、故鄉故國、專業領地、權威幻相等處漂流出來，充當一個自由遊思的世界牧民。

816 提出思想，但不與論敵扭打。一扭打，就走不遠。扭打時總是陷入論敵那些太小的戰場，看不到高遠的天空。

817 與中國相比，愛爾蘭是多麼小的國家，但是，它卻產生並創造了葉芝、喬伊斯等第一流的大作家。文學不是國家創造的，而是人創造的。卓越的人格心靈與他所置身的國家的幅員大小與人口寡眾無關。在龐大的國度中，往往產生許多小爬蟲似的論客與作家。

818 龐德曾經批評但丁，他說，在這個實驗的時代，沒有人能遵循但丁的宇宙觀。但丁的《天堂》裏的寶座是為好政府的官員的靈魂而設的。我曾生活在天堂的幻象中，並看到人們以未知天堂的名義掩蓋血腥的鬥爭，所以也對天堂懷着警惕。我熱愛但丁，然而，即使是但丁設計的天堂也未必可靠。我已丟掉幻想，也不會再製造幻想。

819 內心一旦粗糙，便沒有傷感、寂寞感和孤獨感。說「古來聖賢皆寂寞」是對的，因為所有卓越的人物其內心生活都是精緻的。

820 早在八十年代，我就說：我的宿命在於不停奔走，沒有歇腳的時刻。後來發現雨果早已確認這一宿命，他說：我在奔跑，不要關上喪葬的大門。因為是宿命，所以從太平洋的那一岸跑到這一岸之後，仍然無法歇腳。雖說是宿命，但我知道不斷奔走是必要的：人的生命線不可能太長，自己的生命線也不可能太長，然而，人可以把生命線盡可能拉長。所以，在還能奔跑的時候，要盡量奔跑。生命之線是奔跑的腳印一個一個構成的，多一個腳印就是多一分長度。

821 魔鬼到了哪裏，哪裏就熱鬧。世界不能缺少魔鬼。而且沒有魔鬼的存在，救主與天使就失去意義，因此，神在人在時魔鬼一定也在。不能幻想沒有魔鬼的理想世界。

822 因為人生只是瞬間，所以要活得真實。瞬間轉眼即逝，一假則後悔莫及。許多失去的東西可以追回，可以補償，但生命難以追回，青春年少一旦丟失便不可補償。最傷心的輓歌是青春輓歌。最難排遣的「鄉愁」是青春的鄉愁。

823 青春已過。今天除了時間會丟失之外，再也沒有什麼可丟失的了。幾年前告別故土的瞬間可能丟掉生命，可是生命分明還在。而丟掉其他的一切，倒如桂冠、高帽等，則沒有什麼價值。無可丟失的時候，才有自由。除了無可丟失之外，便是無所企求。曾經朝思暮想的榮耀，我已放下。既無可丟失又無所企求，人間權勢者能奈我何？一切虛假的幻相都已消失，唯有真實的生命凝聚於筆端。沙沙沙，全是大自在的心聲與腳步聲。你聽見了嗎？這是我給你的天涯寄語。

824 我愛讀書，但只有在生命飢渴時才讀得最有心得。書本身就是生命。即使在最單調、最野蠻的處境中，突然有一部精彩的小說出現在身邊，你也會覺得這個地球值得你來走一趟。生命永遠渴求着，永遠燃燒着，永遠尋找着新穎、尋找着衝動、尋找着宇宙密碼。

825 人和世界總是隔着一層厚重的帷幕，因此，人常常被拒絕於真實世界的門外。為了擁抱真實的世界，哲學家投入全部智慧，而文學家則用盡全部生命與情感，然而，他們常常擁抱在圍牆之前撞得滿身傷痕。

826 英雄所展示的個體人生道路，不是唯一正確的道路。在那一個時間點上與空間點上，他是正確的，在另一個時間點上與空間點上則未必完全正確。我崇敬英雄，但不接受英雄的一切。

827 自從選擇了以精神價值創造為終身職業之後，我就一再對拒絕從事這種職業的友人與兄弟說：此生此世，我將比你們辛苦，也將比你們貧窮。因為在作這一選擇的同時，我也作了決定：永遠退出市場，特別是拍賣自身的市場。

828 果戈理說：「靈魂也有獅子般的力量。」靈魂可以跨越荒疏的草原，可以征服大乾旱與大黃沙，可以對着暗夜與隆冬呼嘯，可以讓自己的聲音傳遍所有的山谷。靈魂難以生活在國家與社會設置的種種壓抑形式中，就因為它本有獅子般的活力。

829 錢穆先生說，人生應有藝術人生、文學人生和道義人生三個階段。藝術人生重在對物的感悟與塑造；文學人生重在對人的感悟與塑造；道義人生則重在對心的感悟與塑造。偉大的作家都有一種大慈悲和大關懷。托爾斯泰晚年總是在否定自己的文學作品，其實不是鄙視已有的創造，而是進入人生的更高階段——道義人生。在此人生階段中，人性的一部分化為神性。

830 如果是被光明所放逐，我可能會感到悲傷。但我不是被光明所放逐，而是被黑暗所放逐，所以我便沒有悲傷的充足理由。我知道被放逐的最後結果一定會與站立於黑暗之外的黎明相逢。此時，倘若尼采還在世，他一定會對我說，你不屬於那種無黎明的過客。

831 在瑞典時，我常聽到斯特林堡的故事，他是一個隨時準備出發的人，一個一旦周圍的空氣沉悶就拆掉帳篷轉移宿地的人。由此我想到自己曾經差些被沉悶的空氣所憋死，想到有所充實也一定要有所拆除，想到自己應從一個窒息生命的固定點裏漂泊出來。

832 此時我所獲得的自由，不僅是擁有一張平靜的書桌和自由表達的權利，而且是從自身的反思中獲得一種訴說的方式。這一方式用美國的散文家梭羅（Thoreau）的語言來表述，便是：「作家，該過着恬淡的生活，他們不應選擇群眾活動的方式，而應當單獨地向着人類的智力和人類的心曲說話，對任何時代都理解他的知音傾訴。」

833 暮年的鐘聲彷彿從不遠處飄來，但我並不因此而驚慌。黃昏的鐘聲不等於葬禮的鐘聲。記得雨果在暮年到來時，寫下了如此繼續前行的詩句：鐵石心腸的收割人，拿着寬大的鐮刀，沉吟着，一步一步，走向剩下的麥田。

「人生悟語——劉再復新文體沉思錄」
已出版書目

卷一　三書悟語
ISBN: 978-962-937-435-8
130x210mm • 192pp

卷二　紅樓悟語
ISBN: 978-962-937-436-5
130x210mm • 420pp

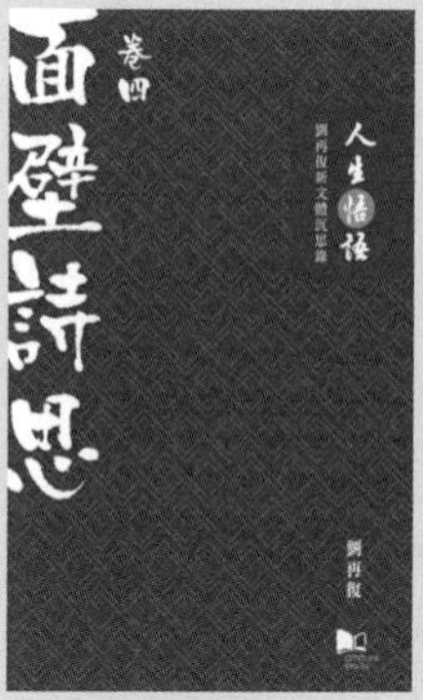

卷四　面壁詩思
ISBN: 978-962-937-438-9
130x210mm • 260pp

卷五　共悟人間
ISBN: 978-962-937-439-6
130x210mm • 424pp

「人生悟語——劉再復新文體沉思錄」
限量套裝（一套五卷）

卷一　三書悟語
卷二　紅樓悟語
卷三　獨語天涯
卷四　面壁詩思
卷五　共悟人間
ISBN: 978-962-937-440-2